Trialacha Tuigbheála

Téacsanna Gaeilge
do mheán- agus d'ardranganna

Comprehension Tests

Irish texts for intermediate and advanced learners

A.J. Hughes MA, MèsL, PhD

Clólann Bheann Mhadagáin
Béal Feirste 2008

Foilsitheoir: Clólann Bheann Mhadagáin

An dara heagrán 2008
(An chéad eagrán 2002)

Údar: A.J. Hughes

Éagarthóirí Comhairleacha: M.A. Ó Murchú agus M.P. Hughes

Léaráidí: Róisín McBride (Neil Shawcross, uimhir 21)

Léitheoirí	Niall Mac Eachmharcaigh	(Trialacha 1, 3, 5 srl.)
	Anna Ní Dhomhnaill	(Trialacha 2, 4, 6 srl.)
	Maighréad Bn Mhic Grianna	(Roinn A)
	Seán Ó Maolagáin	(Roinn B)

Clóchur: Clólann Bheann Mhadagáin

Clúdach: Michael McKernon

ISBN (leabhar móide dlúthdhioscaí) 0-0-9542834-3-0

Tíolacaim an leabhar seo i gcaoinchuimhne ar mo
mhúinteoirí dílse agus mo chairde

T.F. Beausang

agus

J.M. Murphy

"Tá na bráithre ag teacht thar sáile agus iad ag triall ar muir"

Trialacha Tuigbheála

A.J. Hughes MA, Mesl, PhD

DIOSCA 1 (78:28)

Rian 1	Triail 1	2:08	Rian 14	Triail 7,Roinn A/B	3:59
Rian 2	Triail 1, Roinn A/B	2:41	Rian 15	Triail 8	2:37
Rian 3	Triail 2	1:57	Rian 16	Triail 8,Roinn A/B	2:55
Rian 4	Triail 2, Roinn A/B	2:04	Rian 17	Triail 9	2:49
Rian 5	Triail 3	3:10	Rian 18	Triail 9,Roinn A/B	3:27
Rian 6	Triail 3, Roinn A/B	3:37	Rian 19	Triail 10	3:42
Rian 7	Triail 4	3:07	Rian 20	Triail 10,Roinn A/B	3:47
Rian 8	Triail 4, Roinn A/B	3:13	Rian 21	Triail 11	2:59
Rian 9	Triail 5	2:44	Rian 22	Triail 11,Roinn A/B	2:51
Rian 10	Triail 5, Roinn A/B	2:55	Rian 23	Triail 12	2:36
Rian 11	Triail 6	2:27	Rian 24	Triail 12,Roinn A/B	3:02
Rian 12	Triail 6, Roinn A/B	3:03	Rian 25	Triail 13	2:45
Rian 13	Triail 7	3:09	Rian 26	Triail 13,Roinn A/B	4:27

DIOSCA 2 (75:53)

Rian 1	Triail 14	2:47	Rian 10	Triail 18,Roinn A/B	4:35
Rian 2	Triail 14, Roinn A/B	4:36	Rian 11	Triail 19	3:49
Rian 3	Triail 15	3:04	Rian 12	Triail 19,Roinn A/B	5:36
Rian 4	Triail 15, Roinn A/B	4:01	Rian 13	Triail 20	3:39
Rian 5	Triail 16	3:12	Rian 14	Triail 20,Roinn A/B	4:42
Rian 6	Triail 16, Roinn A/B	4:58	Rian 15	Triail 21	4:20
Rian 7	Triail 17	3:16	Rian 16	Triail 21,Roinn A/B	7:07
Rian 8	Triail 17, Roinn A/B	4:41	Rian 17	Triail 22	3:31
Rian 9	Triail 18	3:27	Rian 18	Triail 22,Roinn A/B	4:25

Niall Mac Eachmharcaigh	(Trialacha 1, 3, 5 srl.)
Anna Ní Dhomhnaill	(Trialacha 2, 4, 6 srl.)
Maighréad Bean Mhic grianna	(Roinn A)
Seán Ó Maolagáin	(Roinn B)

Leabhar agus dlúthdhioscaí le fáil ó:
Clólann Bheann Mhadagáin, 516 Bóthar Aontroma, Béal Feirste, BT15 5GG

Book and CDs available from:
Ben Madigan Press, 516 Antrim Road, Belfast, BT15 5GG

Ríomhphost/Email: bmp@benmadiganpress.com
Suíomh idirlín/Website: www.benmadiganpress.com

Clár an Leabhair

Réamhrá don chéad eagrán 2002

Is é seo an chéad leabhar de chuid Chlólann Bheann Mhadagáin, clólann a cuireadh ar bun anseo i mBéal Feirste le hábhar léitheoireachta agus gléasanna foghlama a sholáthar don fhoghlaimeoir agus don Ghaeilgeoir líofa. Tá roinnt aidhmeanna ag an leabhar seo *Trialacha Tuigbheála*. Cuirfidh sé téacsanna ar fáil d'fhoghlaimeoirí a chuideos leo cur lena gcuid Gaeilge agus í a fhorbairt ar bhealaí éagsúla maidir le léitheoireacht, ceisteanna a fhreagairt, rudaí a rá ar bhealaí eile agus dá réir sin. Comh maith leis sin, bhéarfaidh sé seans d'fhoghlaimeoirí cur lena stóras focal agus droichead a dhéanamh don fhoghlaimeoir isteach go prós na Gaeilge. Rinneadh iarracht go leor de shaol na cathrach agus an bhaile mhóir a phlé sa chnuasach áirithe seo ó tharla an oiread sin suime ag daoine sa teanga ón chúlra sin in Éirinn agus thar lear. Ina dhiaidh sin, bheirtear a ceart do Ghaeilge dhúchasach na Gaeltachta.

Teanga na dtéacsanna seo

Cloíonn teanga na dtéacsanna seo le litriú nua an Chaighdeáin Oifigiúil agus má tharlaíonn difríochtaí beaga thall is abhus idir an Caighdeán Oifigiúil agus Gaeilge Thír Chonaill - ní atá incheadaithe sa Chaighdeán - mínítear sin, msh. *bheadh siad = bheidís, bheir = tugann, feiceáil = feiscint, tuigbheáil = tuiscint* srl. I gcás ar bith, gheofar cur síos in *Foclóir Gaeilge-Béarla* le Niall Ó Dónaill (Baile Átha Cliath, 1977) ar gach foirm atá sa leabhar.

Dlúthdhioscaí

Tchíthear do Chlólann Bheann Mhadagáin go gcuideoidh an guth beo le brí a chur sa teanga agus go ndéanfaidh sé an próiseas foghlama a éascú. Tá dlúthdhioscaí ag dul leis an leabhar seo agus is cainteoirí dúchais as Rinn na Feirste agus Gaoth Dobhair (Co. Dhún na nGall) atá ag léamh na dtéacsanna agus na gceisteanna as Roinn A agus Roinn B a leanann gach téacs. B'fhiú go mór don fhoghlaimeoir éisteacht leis na dlúthdhioscaí seo arís agus arís eile le go dtiocfaidh sé/sí isteach ar bhlas na Gaeltachta.

Foclóir

Mar chuidiú don fhoghlaimeoir tá gluais mheasartha chuimsitheach ar chúl an leabhair. Mínítear na focail agus na habairtí i mBéarla ach déantar iarracht fosta go leor de na focail Ghaeilge a mhíniú ar dhóigh(eanna) eile i nGaeilge, ní a chuideos leis an fhoghlaimeoir a stóras focal a leathnú agus a shaibhriú.

Cleachtaí agus innéacsanna gramadaí

Sna trialacha seo iarrfar ar na scoláirí:

(i) athrú ó aimsir (nó ó mhodh) amháin go haimsir (nó go modh) eile
(ii) athrú ón uimhir uatha go dtí an uimhir iolra (nó a mhalairt)
(iii) cur síos a dhéanamh ar chodanna éagsúla den bhriathar agus den ainmfhocal .i. parsáil

Lena chois sin, gheofar intreoir (ar chúl an leabhair) ar bhuntéarmaíocht na gramadaí don bhriathar agus don ainmfhocal. Táthar ag súil fosta go rachaidh na scoláirí i ngleic le *Foclóir Gaeilge Béarla* le Niall Ó Dónaill (*FGB*), mar is mór is fiú d'fhoghlaimeoir ar bith theacht isteach ar an dóigh leis an uirlis iontach sin a úsáid.

Buíochas

Gabhaim buíochas le Foras na Gaeilge as an tacaíocht fhial a thug siad mar dheontas le trí cheathrú de chostaisí an fhoilseacháin seo a ghlanadh. Tá mé fíorbhuíoch don bheirt chomhairleoir teanga a bhí agam ag ullmhú an leabhair seo domh .i. mo comhghleacaí Micheál Ailf Ó Murchú, Ollscoil Uladh Chúil Raithin agus Marie Hughes, Coláiste Mhuire agus Phádraig ar an Chnoc i mBéal Feirtse. Thug siad beirt moltaí luachmhara domh agus léigh na profaí. Gabhaim buíochas ó chroí fosta leis na cainteoirí a léigh na sleachta agus na ceisteanna ar teip.

Má ta locht ar bith ar an leabhar seo, is orm féin amháin atá.

A.J. Hughes
Ollscoil Uladh Bhéal Feirste
Lá Bealtaine 2002

Réamhrá don dara heagrán

San eagrán seo de *Trialacha Tuigbheála* tá minleasuithe déanta ar an chéad eagrán – ceartaíodh corrbhotún cló agus cuireadh leis an fhoclóir thall agus abhus. Tá na dlúthdhioscaí díreach mar a bhí. Go gcuirtear a oiread fáilte roimh an athchló seo agus a cuireadh roimh an chéad eagrán - mar ba mhór an chúis lúcháire ag an údar an t-aischothú dearfach a fuair sé ó chuid mhór daoine, ó chian agus ó chóngar, a cheannaigh agus a bhain úsáid as an chéad eagrán de *Trialacha Tuigbheála*. Thar aon ní eile, táthar ag súil go mbainfidh léitheoirí (agus éisteoirí!) nua an phacáiste seo taitneamh agus tairbhe as agus go rachaidh *Trialacha* chun sochair dóibh siúd atá ag iarraidh theacht amach as an bhunrang agus dhul i dtreo an mheán- agus an ardranga. Coinnígí oraibh agus ná cailligí misneach. Rath agus bláth oraibh.

A.J. Hughes
Samhain 2007

Eochair don téarmaíocht Ghaeilge sna ceisteanna a bhaineas leis na *Trialacha Tuigbheála*

(i) Aistrigh an sliocht a leanas go Béarla.

(ii) Léigh an sliocht thuas arís agus freagair na ceisteanna thíos.

Roinn A

Tabharfar níos mó marcanna dóibh siúd a fhreagróidh na ceisteanna ina bhfocail féin in áit a bheith ag baint frásaí nó téarmaí go díreach amach as an tsliocht.

Roinn B

1 **Scríobh ar dhóigh eile na codanna a bhfuil líne fúthu sna habairtí seo a leanas. Bain úsáid as focail atá sa tsliocht thuas:**

2 **Cuir gach briathar a bhfuil líne faoi sa tsliocht seo a leanas san aimsir chaite:**

3 **Cuir na codanna a bhfuil líne fúthu sna habairtí seo a leanas san uimhir iolra/uatha:**

4 **Líon an bhearna i ngach ceann de na habairtí seo a leanas le focal cuí as an téacs:**

5 **Déan cur síos ar na foirmeacha de na briathra a leanas a bhfuil líne fúthu.**

m.sh. *glanann sé* = an tríú pearsa fhirinscneach, uimhir uatha, (foirm neamhspleách) den aimsir ghnáthláithreach den bhriathar *glan/glanadh*.

6 **Déan cur síos ar thuiseal, uimhir, dhíochlaonadh agus inscne na n-ainmfhocal a leanas a bhfuil líne fúthu.**

m.sh. *lár an bhóthair* = an tuiseal ginideach, uimhir uatha, den ainmfhocal *bóthar*, an chéad díochlaonadh, firinscneach.

Roinn C

Saorchumadóireacht

Tabharfar marcanna níos airde dóibh siúd a bhainfeas úsáid as a gcuid focal féin in áit frásaí nó téarmaíocht a bhaint amach as an tsliocht thuas.

Key to the Irish terminology in the questions relating to the Comprehension Tests

(i) Translate the following passage into English.

(ii) Read the passage above and answer the questions below.

Section A

More marks will be awarded to those who answer the questions in their own words rather than repeating phrases or terms directly from the passage.

Section B

1. **Using the vocabulary of the above passage, express in another way the underlined parts of the following sentences:**

2. **Put the underlined verbs from the following passage in the past tense:**

3. **Put the underlined parts of the following sentences into the plural/singular:**

4. **Insert an appropriate word from the text in the space in each of the following sentences:**

5. **Describe (in Irish) the following underlined verbal forms:**

   e.g. *glanann sé* = the third person masculine, singular (independent form) of the present habitual of the verb *glan/glanadh* 'clean/to clean'.

6. **Describe (in Irish) the case, number, declension and gender of the following underlined nouns:**

   e.g. *lár an bhóthair* = the genitive singular, of the noun *bóthar* 'road', the first declension, masculine.

Section C

Free expression

Higher marks will be awarded to those who use their own words instead of borrowing phrases or terminology from the above passage.

Tá mo mháthair mhór ina cónaí ansin go fóill.

Aistriúchán agus triail tuigbheála 1

(i) Aistrigh an sliocht a leanas go Béarla.

Pól Mac Suibhne - anonn is anall

Is mise Pól Mac Suibhne agus is as Iúr Cinn Trá ó dhúchas mé. Rugadh ar an bhaile sin mé agus tógadh ansin mé go raibh mé deich mbliana d'aois. Is múinteoir scoile é m'athair agus fuair sé post mar phríomhoide i nGlaschú. Bhog an teaghlach uilig go hAlbain i míle naoi gcéad seachtó a cúig agus táimid ansin ó shin. Tá post ag mo mháthair i nGlaschú mar chúntóir ranga i mbunscoil.

Is cuimhin liom m'óige in Iúr Cinn Trá. Caithfidh mé a rá gur baile beag deas é an tIúr. Is maith is cuimhin liom fosta na cairde a bhí ar an bhunscoil liom. Ba mhaith liom dhul ar ais go hIúr Cinn Trá, mar cé gur maith liom Glaschú, is fearr liom mo bhaile dúchais.

Cé go raibh mé i mo chónaí i nGlaschú ón bhliain míle naoi gcéad seachtó a cúig ar aghaidh, níor chaill mé teagmháil riamh le hIúr Cinn Trá. Tá mo mháthair mhór ina cónaí ansin go fóill. Téim ar cuairt chuici gach samhradh agus stopaim aici ar feadh míosa. Bíonn seans agam bualadh le mo sheanchairde arís. Bíonn lúcháir mhór orm ag dul ann i Mí Lúnasa, agus brón mór orm ag imeacht domh arís ag deireadh na míosa sin. Nach gasta a théann mí isteach!

Mar a dúirt mé cheana féin, is maith liom Glaschú ceart go leor ach ní maith liom nuair a thosaíonn an scoil ar ais i Mí Mheán Fómhair. Níl ach bliain amháin fágtha agam ar scoil. Ba mhaith liom bheith i m'ailtire. Tá mé déanamh staidéir ar an Ealaín, ar an Mhatamaitic agus ar an Fhisic. Ba mhian liom dhul chuig an ollscoil ar an bhliain seo chugainn. Nuair a bheas mé i m'ailtire, osclóidh mé oifig in Iúr Cinn Trá.

Socróidh mé síos ansin agus pósfaidh mé cailín deas as Éirinn. Tógfaidh mé teach dúinn cúpla míle taobh amuigh d'Iúr Cinn Trá. Beidh clann mhór ansin againn - ochtar nó mar sin.

(ii) Léigh an sliocht thuas arís agus freagair na ceisteanna thíos.

Roinn A

Tabharfar níos mó marcanna dóibh siúd a fhreagróidh na ceisteanna ina bhfocail féin in áit a bheith ag baint frásaí nó téarmaí go díreach amach as an tsliocht.

1 Cá háit ar rugadh Pól Mac Suibhne? (= Cár rugadh Pól Mac Suibhne?)
2 Cén aois a bhí aige nuair a d'fhág sé a bhaile dúchais?
3 Cad é an tslí bheatha a bhí ag a athair?
4 Cén bhliain ar rugadh Pól, i do thuairim?
5 An bhfuil baint ag máthair Phóil leis an oideachas ina saol oibre?
6 An ndearna Pól dearmad ar a óige in Éirinn?
7 An dtaitníonn Iúr Cinn Trá leis mar bhaile?
8 An bhfuil rún ag Pól bheith ag cur faoi i nGlaschú go deireadh a shaoil?
9 Ar thiontaigh sé a chúl le hIúr Cinn Trá go huile is go hiomlán?
10 Cá fhad a chaitheann Pól ag a sheanmháthair gach samhradh?
11 Cad chuige a mbíonn Pól cráite i dtús Mhí Mheán an Fhómhair?
12 An síleann Pól go dtéann an t-am thart go gasta agus é ar a laethanta saoire i gContae an Dúin?
13 Ar thogh Pól slí bheatha dó féin go fóill?
14 Cad é na hábhair atá ar siúl ag Pól ar scoil?
15 Cá háit a mbeidh oifig Phóil lonnaithe?
16 An bhfuil rún pósta ag Pól?
17 Cad chuige a mbeidh teach mór de dhíth air?
18 Cé a tharraingeoidh na pleananna don teach seo, do bharúil?

Roinn B

1 Scríobh ar dhóigh eile na codanna a bhfuil líne fúthu sna habairtí seo a leanas. Bain úsáid as focail atá sa tsliocht thuas:

1 Deirdre Ní Néill an t-ainm atá orm.
2 D'fhás sé aníos i mBaile Átha Cliath.
3 Bhí ar an phríomh-mhúinteoir dhul chuig cruinniú ar maidin.
4 Tá dáimh níos mó aici le Béal Feirste ná le Londain.
5 Bíodh go bhfuil airgead aige, níl sé sásta.
6 Ní bhfuair mé faill an obair sin a chríochnú go fóill.
7 Bhí gliondar ar a mháthair mhór nuair a chuala sí go raibh sé ag teacht ar cuairt chuici.
8 Níl le déanamh aici ach bliain amháin eile ar an ollscoil.
9 Níor mhiste liom dhul chun na Spáinne ar feadh seachtaine sa tsamhradh.
10 Tá siad ina gcónaí ceithre chiliméadar taobh amuigh de Ghlaschú.
11 An bhfuil aithne agat ar an teaghlach sin?

2 Cuir gach briathar a bhfuil líne faoi sa tsliocht seo a leanas san aimsir chaite:

Téann Pól ar a laethanta saoire i Mí Lúnasa. Pacálann sé a chás agus tiomáineann a thuismitheoirí amach go haerfort Ghlaschú leis. Faigheann sé eitilt ó Ghlaschú go Béal Feirste. Bíonn a chol ceathrar ag fanacht leis ag aerfort Bhéal Feirtse agus tugann sé síob go hlúr Cinn Trá dó. Ritheann a mháthair mhór amach nuair a tchí sí é agus tugann sí póg agus barróg dó. Cuidíonn a chol ceathrar leis a chás a iompar isteach chun tí.

3 Cuir na codanna a bhfuil líne fúthu sna habairtí seo a leanas san uimhir iolra:

a) Is múinteoir scoile é.
b) Bhog an teaghlach sin amach as a dteach.
c) Nach gasta a théann an mhí agus an bhliain isteach!
d) Ba mhaith léi bheith ina hailtire.

4 Líon an bhearna i ngach ceann de na habairtí seo a leanas le focal cuí as an téacs:

a) Rugadh agus ____________ i mBéal Feirste mé.

c) Is breá liom bolg le gréin a dhéanamh ar an ___________.
d) Mol an __________ agus tiocfaidh sí.
e) Cé go bhfuil mo dheartháir i Londain le fiche bliain anuas coinnímid i ____________ lena chéile go measartha rialta.
f) Chuaigh Pól chuig an _____________ agus bhain (sé) céim amach.
g) Tá triúr ____________ ag an lánúin sin.
h) Nuair a bheas páistí ag Pól __________ sé le Gaeilge iad.

5 Déan cur síos ar na foirmeacha de na briathra a leanas a bhfuil líne fúthu.

m.sh. *glanann sé* = an tríú pearsa fhirinscneach, uimhir uatha, (foirm neamhspleách) den aimsir ghnáthláithreach den bhriathar *glan/glanadh*.

(a) Is mise Pól Mac Suibhne
(b) tógadh ansin mé
(c) fuair sé
(d) táimid ansin ó shin
(e) níor chaill mé
(f) Téim ar cuairt
(g) Bíonn lúcháir mhór orm
(h) Socróidh mé síos

6 Déan cur síos ar thuiseal, uimhir, dhíochlaonadh agus inscne na n-ainmfhocal a leanas a bhfuil líne fúthu.

m.sh. *lár an bhóthair* = an tuiseal ginideach, uimhir uatha, den ainmfhocal *bóthar*, an chéad díochlaonadh, firinscneach.

(a) sa bhaile sin
(b) Bhog an teaghlach
(c) cúntóir ranga
(d) na cairde a bhí ar an bhunscoil liom
(e) ag deireadh na míosa sin
(f) osclóidh mé oifig in Iúr Cinn Trá

Roinn C

Saorchumadóireacht

Tabharfar marcanna níos airde dóibh siúd a bhainfeas úsáid as a gcuid focal féin in áit frásaí nó téarmaíocht a bhaint amach as an tsliocht thuas.

i) Scríobh cúig abairt (nó thart fá 50 focal) ar aintín nó ar uncail nó ar ghaol inteacht eile atá agat.

ii) Scríobh cúig abairt (nó thart fá 50 focal) ar lá a bhí agat in otharlann nó i seomra an fhiaclóra.

D'amharc sí uirthi féin sa scáthán, ag teacht anuas an staighre di ...

Aistriúchán agus triail tuigbheála 2

(i) Aistrigh an sliocht a leanas go Béarla.

Cearthaí ar Mháire lá an agallaimh

D'éirigh Máire ar a hocht a chlog ar maidin. Bhí sí ag iarraidh gan bheith neirbhíseach ach, in ainneoin na hiarrachta sin, bhí crith ar a lámha agus ar a glór agus bhí sí geal bán san aghaidh. I gceann dhá uair an chloig eile bheadh sí istigh i seomra an agallaimh. D'amharc sí uirthi féin sa scáthán, ag teacht anuas an staighre di, agus baineadh stad aisti.

'Beir greim ort féin, a chailín. Ná bí neirbhíseach, bí muiníneach agus creid ionat féin. Is tusa an duine ceart don phost seo, tá tú eolach ar ríomhairí agus tá tú i ndiaidh bliain a chaitheamh ag obair thar lear. Tá seans láidir agat an post seo a fháil ach tú fanacht socair.' Leis sin, tháinig an loinnir ar ais ina súile, an dath ar ais ina pluca agus leath miongháire tarraingteach ar a béal. Mhothaigh sí i bhfad níb fhearr.

Chuir sí an teilifís ar obair ach níor chuir sí suim ar bith i nuacht na maidine sin. Bhí cúpla nóta breactha síos aici ón oíche roimh ré ar phíosa páipéir agus léigh sí siar orthu - ceisteanna a shíl sí a chuirfí uirthi ag an agallamh. Níor ith sí ach bricfeasta éadrom ó tharla go raibh a goile caillte aici. D'amharc sí ar an chlog ach níor tháinig imní dá laghad uirthi nó d'fhág sí neart ama aici féin an mhaidin áirithe seo agus chuidigh sin léi bheith ar a suaimhneas.

Ní raibh sí ina cónaí i bhfad ón mhonarcha, fiche bomaite de shiúl na gcos ach, mar sin féin, bhí tacsaí curtha in áirithe aici di féin - agus é ordaithe breá luath ar eagla na heagla! Níor mhian léi bheith ina rith agus í gléasta ina culaith úr agus, rud eile de, bhí sí go díreach i ndiaidh bróga úra a cheannach(t) di féin an tráthnóna roimhe sin agus cé go raibh an chuma orthu gur fhóir siad go maith di, ba leisc léi siúlóid fhada a dhéanamh iontu ar eagla go mbeadh siad (= go mbeidís) á gortú.

(ii) Léigh an sliocht thuas arís agus freagair (i nGaeilge) na ceisteanna thíos.

Roinn A

Tabharfar níos mó marcanna dóibh siúd a fhreagróidh na ceisteanna ina bhfocail féin in áit a bheith ag baint frásaí nó téarmaí go díreach amach as an tsliocht.

1 Cad é a léiríonn nach raibh Máire go hiomlán ar a suaimhneas ag éirí di an mhaidin sin?
2 Cad é an t-am a raibh an t-agallamh le bheith aici?
3 Ar chaith Máire a saol oibre uilig ag obair in Éirinn?
4 Cad é a chuireann in iúl dúinn gur éirigh le Máire í fein a chur ar a suaimhneas nuair a labhair sí léi féin sa scáthán?
5 Ar thug Máire mórán airde ar chinnlínte na maidine sin?
6 Cad é an t-ullmhúchán a rinne Máire don agallamh an oíche roimh ré?
7 Cad chuige, i do bharúil féin, ar fhág Máire go leor ama aici féin le bricfeasta a bheith aici agus le í féin a ghléasadh an mhaidin sin?
8 Dá mba mhian le Máire siúl chuig an mhonarcha cad é an t-am a gcaithfeadh sí a hárasán a fhágáil le bheith ansin ar leath i ndiaidh a naoi?

9 Cad é an gléas taistil a mbainfeadh Máire úsáid as leis an mhonarcha a bhaint amach?
10 Cad é an buaireamh a bhí uirthi fána coisbheart?

Roinn B

1 Scríobh ar dhóigh eile na codanna a bhfuil líne fúthu sna habairtí seo a leanas. Bain úsáid as focail atá sa tsliocht thuas:

1 Bhí Stiofán rud beag <u>tógtha</u> roimh an scrúdú.
2 Chonaic na páistí an múinteoir <u>nuair a bhí siad ag teacht amach as an scoil</u>.
3 <u>Las súile an tseanduine</u> nuair a fuair sé litir óna iníon.
4 Cé go raibh mo mhac maith ag an spórt <u>níor nocht sé spéis sa ghalf</u> riamh.
5 Tá an uimhir ghutháin sin <u>scríofa</u> síos agam i mo dhialann.
6 Tá <u>tréan</u> airgid ag an duine sin.
7 An raibh <u>focal curtha</u> ar sheomra agat, a dhuine uasail?
8 Dúirt siad <u>nár mhaith leo</u> siúl, ach gurbh fhearr leo dhul i dtacsaí.

2 Cuir gach briathar a bhfuil líne faoi sa tsliocht seo a leanas sa mhodh choinníollach:

<u>Chuir sí</u> an teilifís ar obair ach <u>níor chuir sí</u> suim ar bith i nuacht na maidine sin. <u>Bhí</u> cúpla nóta breactha síos aici ón oíche roimh ré agus <u>léigh sí</u> siar orthu. <u>D'amharc sí</u> ar an chlog ach <u>níor tháinig</u> imní dá laghad uirthi nó <u>d'fhág sí</u> neart ama aici féin agus <u>chuidigh</u> sin léi bheith ar a suaimhneas.

3 Athscríobh na habairtí seo agus cuir na focail a bhfuil líne fúthu san uimhir iolra:

a) D'amharc <u>sí</u> <u>uirthi</u> féin <u>sa scáthán</u> ag teacht anuas an staighre <u>di</u>.
b) <u>Beir</u> greim <u>ort</u> féin, <u>a chailín</u>. Ná <u>bí</u> neirbhíseach.
c) Ní raibh <u>sí</u> ina <u>cónaí</u> i bhfad <u>ón mhonarcha</u>.
d) Níor mhian <u>léi</u> bheith ina rith agus <u>í</u> gléasta <u>ina culaith úr</u>.

4 Líon an bhearna i ngach ceann de na habairtí seo a leanas le focal cuí as an téacs:

a) Bhain muid sult mór as na laethanta saoire __ __________ na drochaimsire.
b) Ó tharla gur theip air sa chéad scrúdú tiomána níor mhothaigh sé iontach __________ ag dul isteach don dara ceann, nó bhí a mhisneach caillte aige.
c) Is leor nod don ____________ .
d) Níor mhian liomsa Éire a fhágáil agus bheith i mo chónaí _______ _______ , mar gurbh fhearr liom fanacht anseo san áit ar tógadh mé.
e) Ba mhaith liom __________ a bhfuil tuarastal maith ag dul leis a fháil.
f) Is duine cróga (é) Pól, ní bhíonn _____________ air roimh rud ar bith.
g) Thosaigh _____ na Críostaíochta in Éirinn sa chúigiú céad.
h) Ní luath ná mall a bhí mé, bhí mé _____________ in am.

5 Déan cur síos ar na foirmeacha de na briathra a leanas a bhfuil líne fúthu.

m.sh. *glanann sé* = an tríú pearsa fhirinscneach, uimhir uatha, (foirm neamhspleách) den aimsir ghnáthláithreach den bhriathar *glan/glanadh*.

(a) bhí sí geal bán san aghaidh
(b) baineadh stad aisti
(c) Beir greim ort féin
(d) Ná bí neirbhíseach
(e) Is tusa an duine ceart ...
(f) léigh sí siar ar na nótaí
(g) tá tú i ndiaidh ...
(h) a chuirfí uirthi

6 Déan cur síos ar thuiseal, uimhir, dhíochlaonadh agus inscne na n-ainmfhocal a leanas a bhfuil líne fúthu.

m.sh. *lár an bhóthair* = an tuiseal ginideach, uimhir uatha, den ainmfhocal *bóthar*, an chéad díochlaonadh, firinscneach.

(a) in ainneoin na hiarrachta sin
(b) i seomra an agallaimh
(c) Beir greim ort féin, a chailín.
(d) don phost seo
(e) fiche bomaite de shiúl na gcos
(f) bhí na bróga úra á gortú

Roinn C

Saorchumadóireacht

Tabharfar marcanna níos airde dóibh siúd a bhainfeas úsáid as a gcuid focal féin in áit frásaí nó téarmaíocht a bhaint amach as an tsliocht thuas.

(i) Cuir i gcás go bhfuil tú ag aistriú tí, scríobh síos **cúig** abairt (nó thart fá 50 focal) fá chuid de na rudaí a bheadh le déanamh agat.

(ii) Dá mbeifeá ag iarraidh dhul as Iúr Cinn Trá go Glaschú cuir síos ar **thrí** dhóigh dhifriúla a bhféadfá dhul ann.

(iii) Cuir i gcás go ndearna do mháthair mhór gar mór duit ar na mallaibh agus go bhfuil a breithlá ag tarraingt orainn, cuir síos ar **thrí** rud a thiocfadh leat a dhéanamh (nó a cheannacht) di dá breithlá.

Chaith mé dhá bhliain ag obair in Otharlann na bPáistí i mBéal Feirste.

Aistriúchán agus triail tuigbheála 3

(i) Aistrigh an sliocht a leanas go Béarla.

Seán Ó Baoill - dochtúir

Is mise Seán Ó Baoill. Is dochtúir mé. Is as Gort an Choirce mé ach tá mé i mo chónaí sa Nigéir anois. Bhain mé céim amach sa Leigheas i mBaile Átha Cliath, tá deich mbliana ó shin. Ar chríochnú an chúrsa ollscoile domh, chaith mé dhá bhliain ag obair in Otharlann na bPáistí i mBéal Feirste. Bhí dúil mhór agam i mBéal Feirste agus bheinn ansin ar fad ach ab é nár mhair mo chonradh in Otharlann na bPáistí ach dhá bhliain.

Nuair nach raibh ach cúpla mí fágtha agam i mBéal Feirste ní raibh a fhios agam cad é a dhéanfainn go dtí gur chuir m'aintín scairt ghutháin orm lá amháin. Is rúnaí í m'aintín in oifig nuachtáin i nDoire agus d'inis sí domh gur fógraíodh post mar dhochtúir in otharlann Leitir Ceanainn an mhaidin sin. Bhí suim mhór agam sa scéal sin agus chuir mé facs chuig otharlann Leitir Ceanainn ag iarraidh eolais fán phost. Chuir mé iarratas isteach ar an phost agus cuireadh agallamh orm mí ina dhiaidh sin. Tairgeadh an folúntas domh agus ghlac mé leis.

Chaith mé trí bliana ansin ag obair i Leitir Ceanainn. Cé go raibh lóistín le fáil san otharlann agam b'fhearr liom fanacht sa bhaile i nGort an Choirce. Bhí cúpla fáth leis sin. Sa chéad dul síos, ó tharla go raibh mé ar shiúl as baile le hocht mbliana anuas, shíl mé go raibh sé thar am agam pilleadh ar na seanfhóide arís agus am a chaitheamh le mo thuismitheoirí. Comh maith leis sin, bhí an séasúr peile ag toiseacht arís agus bhí cúl báire de dhíth ar fhoireann Chloch Cheann Fhaola. Ba ghnách liomsa bheith fíormhaith ag an pheil Ghaelach ach b'éigean domh éirí as nuair a chuaigh mé chun na hollscoile mar gheall ar an méid staidéir a bhí le déanamh agam.

Oíche amháin agus mé sa teach i nGort an Choirce chonaic mé clár faisnéise ar an teilifís fá chúrsaí sláinte san Afraic. Ag deireadh an chláir, (h)iarradh ar dhuine ar bith a bhí cáilithe mar dhochtúir nó mar bhanaltra agus a mbeadh suim aige tamall a chaitheamh sa Nigéir scríobh isteach chuig oifig i mBaile Átha Cliath. Rinne mé amhlaidh, agus an chéad rud eile chinn mé ar cheithre bliana a chaitheamh ag obair leis an Chros Dhearg. Ceapadh mar stiúrthóir ar otharlann páirce i dtuaisceart na tíre mé.

Seo anois an ceathrú bliain agam amuigh anseo, agus bíodh go raibh deacrachtaí go leor agam ag socrú isteach sa chéad bhliain, go háirithe leis an teas, chrom mé ar an obair agus, de réir a chéile, d'éirigh liom dearmad glan a dhéanamh ar an teas. Bhuail mé le daoine deasa san áit seo agus beidh cumha orm ag imeacht uathu, ach sin an saol agat. Níl a fhios agam cad é an obair a bheas romham sa bhaile in Éirinn, ach tá fonn orm pilleadh ar Thír Chonaill arís agus fanacht ann. Cé gur bhain mé sult as mo chuid siúil agus mo chuid eachtraí, tá an baile ag scairtigh orm. Tá mé róshean anois don pheil, ach is cuma nó beidh an iascaireacht agam ar fad.

(ii) Léigh an sliocht thuas arís agus freagair na ceisteanna thíos.

Roinn A

Tabharfar níos mó marcanna dóibh siúd a fhreagróidh na ceisteanna ina bhfocail féin in áit a bheith ag baint frásaí nó téarmaí go díreach amach as an tsliocht.

1 Cad é an tslí bheatha atá ag Seán Ó Baoill?
2 Cén contae arb as é?
3 Cá háit a raibh sé ina mhac léinn?
4 Cad chuige a raibh air imeacht as Béal Feirste?
5 Cén fáth ar chuir aintín Sheáin scairt air agus é i mBéal Feirste?
6 Cad é an post a bhí ag a aintín?
7 Cad é mar a d'iarr Seán eolas ar lucht an riaracháin in otharlann Leitir Ceanainn fán phost úr?
8 Nuair a chuir sé isteach iarratas ar an phost, cá fhad a bhí le fanacht ag Seán le lá an agallaimh?
9 Má bhaineann sé uair an chloig asat tiomáint ó Ghort an Choirce go Leitir Ceanainn, cá fhad a chaitheadh Seán ag tiomáint gach lá oibre?
10 Cad ina thaobh arbh fhearr le Seán fanacht sa bhaile i nGort an Choirce in áit stopadh i Leitir Ceanainn? (= Cad chuige arbh ...?)
11 Cad chuige ar éirigh Seán as an pheil agus é ag freastal ar an ollscoil?
12 Cad é a tharraing aird Sheáin ar an Afraic?
13 Cá háit arbh éigean dó scríobh chuige i dtús báire le fáil amach fán Nigéir?
14 Cén dream a raibh sé ag obair acu amuigh san Afraic?
15 Cad é an post a tairgeadh san Afraic dó?
16 Cad é an deacracht is mó a bhí ag Seán nuair a chuaigh sé amach chun na Nigéire i dtús báire?
17 Cad é mar atá a fhios againn go mbeidh brón ar Sheán ag imeacht as an Nigéir dó?
18 Cad é an caitheamh aimsire a bheas aige in áit na peile?

Roinn B

1 Scríobh ar dhóigh eile na codanna a bhfuil líne fúthu sna habairtí seo a leanas. Bain úsáid as focail atá sa tsliocht thuas:

1 <u>Fuair sí</u> teastas sa ríomhaireacht.
2 <u>Níorbh eol di</u> go raibh a leithéid de chúrsa ann ar chor ar bith.
3 <u>Ar chuir sibh in iúl dóibh</u> go raibh sibh ag teacht?
4 Bhí sé <u>ar lorg</u> airgid ach níor thug siad rud ar bith dó.
5 <u>D'ofráil siad</u> post domh ach níor ghlac mé leis.
6 <u>Bhí sí den bharúil</u> go raibh sí rómhall agus d'imigh sí chun an bhaile.

7 Is mithid daoibhse bheith ag imeacht.
8 Bhínn sa teach sin go mion is go minic.
9 Bhí siad ag caint liom i dtaobh litríocht na Gaeilge.
10 An é nach dtuigeann tú mé?
11 Fuair sé post mar phríomh-mhúinteoir.
12 Shocraigh siad ar gan theacht ar ais.
13 Éireoidh tú cleachta leis le himeacht ama.
14 Bhí a fhios agam go raibh an litir seo le cur sa phost agam ach d'imigh sí amach as mo chloigeann.
15 Casadh cairde úra orm agus mé ag obair thall i Nua-Eabhrac.
16 Ar mhaith leat dhul amach anocht?
17 Tá an fear sin an-aosta.
18 Chaith sé an lá iomlán anseo.

2 Cuir gach briathar a bhfuil líne faoi sna sleachta seo a leanas san aimsir fháistineach:

i) Nuair nach raibh ach cúpla mí fágtha agam i mBéal Feirste ní raibh a fhios agam cad é a dhéanfainn go dtí gur chuir m'aintín scairt ghutháin orm.
ii) Chuir mé iarratas isteach ar an phost agus cuireadh agallamh orm mí ina dhiaidh sin. Tairgeadh an folúntas domh agus ghlac mé leis.
iii) Chrom mé ar an obair agus, de réir a chéile, d'éirigh liom dearmad glan a dhéanamh ar an teas.

3 Cuir na codanna a bhfuil líne fúthu sna habairtí seo a leanas san uimhir iolra:

i) Ar chríochnú an chúrsa ollscoile domh, chaith mé dhá bhliain ag obair in otharlann.
ii) Is rúnaí í m'aintín.
iii) Chuir mé iarratas isteach ar an phost agus cuireadh agallamh orm mí ina dhiaidh sin.
iv) Chonaic mé clár faisnéise ar an teilifís.

4 Líon an bhearna i ngach ceann de na habairtí seo a leanas le focal cuí as an téacs:

1 D'éirigh liom ___________ a chur leis an aiste sin aréir.
2 Chuir mé scairt ar oifig an stiúrthóra agus cé nach raibh sé istigh

ghlac an ____________ teachtaireacht uaim.
3 Níl __________ ná spéis aici i gcúrsaí spóirt.
4 Is é an samhradh an ___________ den bhliain is fearr liom.
5 I dtús __________, ba mhian liom buíochas a ghabháil libh as theacht anseo anocht.
6 'Nollaig shona agus bliain úr faoi mhaise duit.'
'Gurb____________ duitse.'
7 Ní fhóireann _________ ná fuacht don chailligh (= don chailleach).
8 Bhí a croí ag briseadh le __________ ag imeacht as an bhaile di.

5 Déan cur síos ar na foirmeacha de na briathra a leanas a bhfuil líne fúthu.

m.sh. *glanann sé* = an tríú pearsa fhirinscneach, uimhir uatha, (foirm neamhspleách) den aimsir ghnáthláithreach den bhriathar *glan/glanadh*.

(a) Is mise Seán Ó Baoill
(b) bheinn ansin ar fad
(c) d'inis sí domh
(d) Ba ghnách liomsa a bheith
(e) chonaic mé clár
(f) (h)iarradh ar dhuine ar bith
(g) bíodh go raibh deacrachtaí agam
(h) cad é an obair a bheas romham

6 Déan cur síos ar thuiseal, uimhir, dhíochlaonadh agus inscne na n-ainmfhocal a leanas a bhfuil líne fúthu.

m.sh. *lár an bhóthair* = an tuiseal ginideach, uimhir uatha, den ainmfhocal *bóthar*, an chéad díochlaonadh, firinscneach.

(a) in Otharlann na bPáistí
(b) ar an phost
(c) Tairgeadh an folúntas domh
(d) chun na hollscoile
(e) i dtuaisceart na tíre
(f) tá an baile ag scairtigh orm

Roinn C

Saorchumadóireacht

Tabharfar marcanna níos airde dóibh siúd a bhainfeas úsáid as a gcuid focal féin in áit frásaí nó téarmaíocht a bhaint amach as an tsliocht thuas.

i) Scríobh cúig abairt (nó thart fá 50 focal) ar chuid de na dóigheanna ar féidir leis an 'domhan fhorbartha' cuidiú agus comhoibriú níos fearr leis an Tríú Domhan.

ii) Scríobh cúig abairt (nó thart fá 50 focal) ar an chaitheamh aimsire (nó ar na caithimh aimsire) is fearr leat

Is deas an rud éirí ar maidin agus siúl isteach chuig na léachtaí ar do shócúl.

Aistriúchán agus triail tuigbheála 4

(i) Aistrigh an sliocht a leanas go Béarla.

Úna Nic Mhaoláin - scoláire ollscoile

Is mise Úna Nic Mhaoláin. Is as Béal Feirste mé. Is mac léinn mé. Tá mé ag freastal ar Choláiste Ollscoile Bhaile Átha Cliath. Tá mé ag gabháil don Cheimic ansin. Mairfidh an cúrsa trí bliana. Cúrsa céime atá i gceist. Seo í mo chéad bhliain ar an ollscoil. Is mór an t-athrú é saol na hollscoile i gcomórtas leis an tsaol a bhíodh agam agus mé ar scoil. Nuair a bhí mé ar scoil bhí mé ag stopadh sa bhaile agus gan faic le déanamh agam sa teach ach mo sheomra leapa a chóiriú.

Anseo i mBaile Átha Cliath tá seomra agam sna hallaí cónaithe, agus tá naonúr déag eile sa bhloc chéanna i mo chuideachta. Bíonn orm siopadóireacht, cócaireacht, níochán, iarnáil, agus gach rud eile a bhaineas (= bhaineann) leis an tíos a dhéanamh domh féin anois. Mura ndéana mé féin na rudaí seo ní dhéanfaidh duine ar bith eile domh iad! Cé gur athrú mór agam iad na freagrachtaí breise seo tá mé ag éirí cleachta leo anois, in ainneoin na ndeacrachtaí a bhí agam i dtús báire. Tá buntáistí agus míbhuntáistí ag baint leis na hallaí cónaithe. I measc na mbuntáistí atá ag baint leo caithfear a rá nach bhfuil an cíos ródhaor agus comh maith leis sin, bíonn teas lárnach agus uisce te le fáil ann lá agus oíche. Is deas an rud fosta éirí ar maidin agus siúl isteach chuig na léachtaí ar do shócúl, mar na mic léinn atá ag stopadh i lár na cathrach bíonn orthu siúd éirí níos luaithe ar maidin agus theacht isteach chun na hollscoile ar an bhus. Mar sin de, sábhálaim idir am agus airgead ar an dóigh seo.

Os a choinne sin uilig, caithfidh mé a admháil nach bhfuil na seomraí sna hallaí rómhór. San oíche, idir a cúig agus a sé, bíonn scuaine fhada ann don chistin de thairbhe go mbíonn gach duine ag iarraidh bheith ag cócaireacht san aon am amháin. In amanna éiríonn fadhbanna fá seo - gan trácht ar an challán a thógtar corroíche agus tú ag iarraidh beagán staidéir a dhéanamh. Rud eile de, más mian liom dhul isteach go lár na cathrach san oíche bíonn orm tacsaí a fháil ar ais chuig na hallaí. Mura dtaga cúpla cara i mo chuideachta, ní bhím ábalta cuairt a thabhairt ar Bhaile Átha Cliath mall san oíche toisc luach an tacsaí.

D'fhreastail mé féin ar scoil lán-Ghaeilge agus níor mhaith liom mo chuid Gaeilge a chailleadh. Ar an dea-uair domh, tá cailín as Conamara ag stopadh sa phasáiste chéanna liom sna hallaí agus bíonn faill againn Gaeilge a labhairt le chéile. Comh maith leis seo, tá mé i mo bhall den Chumann Ghaelach. Bím ag freastal ar rang Gaeilge gach oíche Mháirt. Rang litríochta atá ann, agus san am i láthair tá muid (táimid) ag léamh *An Druma Mór* le Seosamh Mac Grianna. Is é Seosamh Mac Grianna an scríbhneoir Gaeilge is fearr liom. Ní hé amháin go raibh Gaeilge bhinn bhlasta aige ach bhí sé sásta an teanga a fhorbairt agus a chur in oiriúint do shaol an lae inniu.

(ii) Léigh an sliocht thuas arís agus freagair na ceisteanna thíos.

Roinn A

Tabharfar níos mó marcanna dóibh siúd a fhreagróidh na ceisteanna ina bhfocail féin in áit a bheith ag baint frásaí nó téarmaí go díreach amach as an tsliocht.

1 Cén baile arb as Úna Nic Mhaoláin?
2 Cad é an tslí bheatha atá aici?
3 Cá fhad a mhairfeas an cúrsa? (= Cá fhad an mhairfidh an cúrsa?)
4 Cén t-ábhar atá á dhéanamh mar chéim aici?

5 Cad chuige nach mbeadh mórán eolais aici ar Bhaile Átha Cliath go fóill?
6 Cad é an dualgas a chuirtí ar Úna agus í sa bhaile?
7 Cá háit a bhfuil Úna ag stopadh i gColáiste Ollscoile Bhaile Átha Cliath?
8 Cá mhéad duine ar fad atá sa bhloc a bhfuil sí ag stopadh ann?
9 Déan cur síos, i d'fhocail féin, ar na buntáistí a bhaineas leis na hallaí cónaithe.
10 Déan cur síos, i d'fhocail féin, ar na míbhuntáistí a bhaineas leis na hallaí cónaithe.
11 Cad chuige nach dtéann Úna isteach go Baile Átha Cliath léi féin san oíche?
12 Cad chuige, a mheasfá, a mbeadh Gaeilge mhaith ag Úna?
13 Ainmnigh cúpla dóigh a mbíonn Úna ábalta teagmháil a bheith aici leis an Ghaeilge san ollscoil?
14 Cén contae arb as an Gaeilgeoir eile atá ag stopadh ar an urlár chéanna le hÚna?
15 Cén t-údar Gaeilge is fearr le hÚna?
16 Cad chuige a bhfuil dúil ag Úna i saothar an scríbhneora seo?

Roinn B

1 Scríobh ar dhóigh eile na codanna a bhfuil líne fúthu sna habairtí seo a leanas. Bain úsáid as focail atá sa tsliocht thuas:

1 Scoláire atá inti.
2 Tá duifear mór idir saol na cathrach agus saol na tuaithe.
3 Níl rud ar bith le déanamh aici.
4 Tá mo rothar briste agus caithfidh mé é a dheisiú.
5 Bíonn aige leis an teach a ghlanadh gach deireadh seachtaine.
6 Bhí an obair seo iontach doiligh agam ar tús ach tá mé ag teacht isteach uirthi anois.
7 Tá pointí maithe agus drochphointí ag baint leis an scéim sin.
8 An bhfuil sí compordach sa lóistín sin?
9 Ní thig liom bualadh leat níos moiche ná leath i ndiaidh a deich ar maidin.
10 Ná luaigh na pleananna atá againn os a gcomhair.
11 Bhí líne daoine ag fanacht taobh amuigh de dhoras an tsiopa.
12 Bíonn sé ar cuairt againne uaireanta.
13 Ar chuala tú iomrá ar an leabhar sin riamh?

14 Is cainteoir an-fhadálach é.
15 Ní raibh siad ag baint.
16 Cad é atá ar bun agat i láthair na huaire?

2 Cuir gach briathar a bhfuil líne faoi sna sleachta seo a leanas san aimsir ghnáthchaite:

i) In amanna éiríonn fadhbanna fá seo - gan trácht ar an challán a thógtar corroíche. Rud eile de, más mian liom dhul isteach go lár na cathrach san oíche bíonn orm tacsaí a fháil ar ais chuig na hallaí.

ii) Mura dtaga cúpla cara i mo chuideachta, ní bhím ábalta cuairt a thabhairt ar Bhaile Átha Cliath.

3 Cuir na codanna a bhfuil líne fúthu sna habairtí seo a leanas san uimhir iolra:

a) Cúrsa céime atá i gceist.
b) Mar sin de sábhálaim idir am agus airgead ar an dóigh seo.
c) Bíonn scuaine fhada ann don chistin.
d) Tá mé i mo bhall den Chumann Ghaelach.

4 Líon an bhearna i ngach ceann de na habairtí seo a leanas le focal cuí as an téacs:

1 Bhain scoláirí an choláiste sin an ____________ díospóireachta anuraidh.
2 Ní oibreoidh an seanchlog sin go brách arís mar tá sé ó ____________ .
3 Ní thagann aithne go haon ____________ .
4 Bhí Úna ____________ in imeachtaí an Chumainn Ghaelaigh, mar ba ise an cathaoirleach.
5 Thug mise seic don tiarna talaimh agus thug seisean __________ domhsa.
6 Rinne muid socrú bualadh le chéile taobh amuigh de Halla na __________ ar a dó.
7 Dúirt sé an rud ceannann ____________ liomsa.
8 Is ________ béal ina thost.

5 Déan cur síos ar na foirmeacha de na briathra a leanas a bhfuil líne fúthu.

m.sh. *glanann sé* = an tríú pearsa fhirinscneach, uimhir uatha, (foirm neamhspleách) den aimsir ghnáthláithreach den bhriathar *glan/glanadh*.

(a) Mura ndéana mé féin
(b) ní dhéanfaidh duine ar bith eile
(c) sábhálaim idir am agus airgead
(d) an callán a thógtar corroíche
(e) ní bhím ábalta
(f) D'fhreastail mé féin ar scoil
(g) tá muid ag léamh (= táimid)
(h) Is é Seosamh Mac Grianna an scríbhneoir is fearr liom.

6 Déan cur síos ar thuiseal, uimhir, dhíochlaonadh agus inscne na n-ainmfhocal a leanas a bhfuil líne fúthu.

m.sh. *lár an bhóthair* = an tuiseal ginideach, uimhir uatha, den ainmfhocal *bóthar*, an chéad díochlaonadh, firinscneach.

(a) Cúrsa céime atá i gceist
(b) ag stopadh sa bhaile
(c) I measc na mbuntáistí
(d) na mic léinn atá ag stopadh
(e) luach an tacsaí
(f) Rang litríochta atá ann

Roinn C

Saorchumadóireacht

Tabharfar marcanna níos airde dóibh siúd a bhainfeas úsáid as a gcuid focal féin in áit frásaí nó téarmaíocht a bhaint amach as an tsliocht thuas.

i) Scríobh cúig abairt (nó thart fá 50 focal) ar an teach nó an lóistín a ba mhian leatsa a bheith agat dá mbeadh an rogha agus an t-airgead agat.

ii) Scríobh cúig abairt (nó thart fá 50 focal) ar an údar is fearr leat agus mínigh cad chuige a dtaitníonn a s(h)aothar leat.

Bhíodh an custaiméir céanna iontach tugtha do chrosfhocail.

Aistriúchán agus triail tuigbheála 5

(i) Aistrigh an sliocht a leanas go Béarla.

Báite i bhfiacha

Bhí Seosamh fuar, ocrach agus fliuch báite fán am ar bhain sé an bhialann bheag amach. Ní hé an t-ocras is mó a bhí ag cur as dó ach an fuacht. Chaithfeadh sé deoch the a fháil agus nach air a bhí an lúcháir nuair a shín bean na bialainne muga mór caife chuige. Bhíodh sé de nós ag Seosamh bualadh isteach sa bhialann bheag seo uair sa tseachtain agus bhí aithne mhaith ag muintir na bialainne airsean agus aithne mhaith aigesean ar lucht na bialainne, idir oibrithe agus chustaiméirí. An mhaidin áirithe seo, bhí Seosamh ina shuí ó leath i ndiaidh a sé; agus seo anois é, trí huaire an chloig ina dhiaidh sin, ar tí a chéad bholgam a ól.

Thaitin an bhialann bheag seo le Seosamh ar chuid mhór cúiseanna. Bhí sí measartha compordach, ní raibh sí iontach daor agus bhíodh aoibh mhaith ar na freastalaithe leis. Bhí sé ag iarraidh páipéar na maidine sin a léamh ach bhí sé sin á léamh ag seanbhean bheag thall sa choirnéal. Is cosúil go dtagadh an bhean chéanna isteach sa bhialann seo gach maidin, go n-ordaíodh bricfeasta éadrom agus go dtugadh léi an páipéar. Bhíodh an custaiméir céanna iontach tugtha do chrosfhocail. Ní bhíodh sí iontach gasta á líonadh isteach ach, mar sin féin, is beag maidin a sháraíodh uirthi na freagraí uilig a aimsiú; agus ní fhágadh sí an paipéar uaithi go mbíodh an freagra don leid dheireanach scríofa isteach aici. Ní bhíodh á iarraidh ón pháipéar aici ach sin.

Nuair a thug Seosamh fá dear nach raibh sí ach i ndiaidh an dara focal a líonadh isteach d'aithin sé go mbeadh feitheamh fada aige féin sula scarfadh ár mbean chóir leis an nuachtán. Níor mhiste le Seosamh fá na cinnlínte an mhaidin áirithe seo mar go raibh go leor eile ar a intinn aige. D'amharc sé ar an fhéilire a bhí in airde ar an bhalla, an ceathrú lá déag de Mhí Aibreáin. B'ionann sin agus a rá go raibh mí iomlán fágtha aige - gan lá chuige ná uaidh - leis na fiacha troma a bhí air a ghlanadh.

'Sé mhíle punt,' ar seisean leis féin, 'a Athair Shíoraí, nach mé a bhí bómánta a ghlac leis an iasacht sin? D'fhéad mé gan éisteacht leis an chomhairle amaideach sin a tugadh domh. Ní raibh na rudaí a cheannaigh mé de dhíth orm ar chor ar bith.'

Ach bhí sé rómhall le bheith ag caint mar seo anois, bhí an dochar déanta.

(ii) Léigh an sliocht thuas arís agus freagair na ceisteanna thíos.

Roinn A

Tabharfar níos mó marcanna dóibh siúd a fhreagróidh na ceisteanna ina bhfocail féin in áit a bheith ag baint frásaí nó téarmaí go díreach amach as an tsliocht.

1 Cé acu a ba mheasa le Seosamh, an fuacht nó an t-ocras?
2 Cad é a d'ordaigh Seosamh ag teacht isteach sa bhialann dó?
3 Cá mhéad cuairt sa mhí a thugadh sé ar an bhialann seo de ghnáth?
4 Cad é an t-am a bhí ann nuair a bhain Seosamh an chead súimín as an chaife?
5 Ainmnigh cúpla fáth a raibh dúil ag Seosamh sa bhialann bheag seo.

6 An itheadh an tseanbhean mórán lena bricfeasta?
7 Cad é an príomhghnó a bhíodh ag an tseanbhean leis an nuachtán?
8 An éiríodh go minic léi iomlán na bhfreagraí a fháil?
9 Cad é a thug le fios do Sheosamh nach bhfaigheadh sé an paipéar in aichearracht?
10 An raibh Seosamh buartha nach bhfuair sé an páipéar le léamh?
11 Cad é an dáta ar a gcaithfeadh Seosamh a fhiacha a ghlanadh?
12 Ar mheas Seosamh gur chiallmhar an mhaise dó an t-iasacht sin a ghlacadh?
13 An raibh aithreachas ar Sheosamh gur éist sé leis an chomhairle a tugadh dó?
14 Cad é a léiríonn duit nár chaith sé an t-airgead go ciallmhar?

Roinn B

1 Scríobh ar dhóigh eile na codanna a bhfuil líne fúthu sna habairtí seo a leanas. Bain úsáid as focail atá sa tsliocht thuas:

1 Bhí áthas ar bhean na bialainne nuair a nocht Seosamh ag an doras.
2 Bhí an tseanbhean iontach sásta nuair a chuaigh aici an crosfhocal a líonadh isteach ina iomláine.
3 Ba ghnách linn ár lón a chaitheamh sa bhialann sin go measartha minic.
4 Ar bhuail tú le Seán roimhe?
5 An bhfuil tú ag brath imeacht, a bhean uasal?
6 Inis domh na fáthanna nach dtaitníonn an bhialann sin leat.
7 Bhí an béile sin réasúnta daor agus is beag a fuair muid le hithe.
8 Bhí sé ag fanacht rófhada le tábla a fháil gur imigh sé go bialann eile.
9 Ní thabharfaidh siad an t-airgead uathu comh furasta sin.
10 Ba chuma léi fán scuaine.
11 Ba cheart di an carr sin a dhíol.
12 Níl sí ag tabhairt airde ar mo chuid cainte.
13 An bhfuil caife ag teastáil uaibh?
14 An ndearnadh mórán damáiste don teach le linn na stoirme?

2 Cuir gach briathar a bhfuil líne faoi sa tsliocht seo a leanas san aimsir ghnáthláithreach:

Is cosúil go dtagadh an bhean chéanna isteach sa bhialann seo gach maidin, go n-ordaíodh bricfeasta agus go dtugadh léi an páipéar. Bhíodh an custaiméir seo tugtha do chrosfhocail. Ní bhíodh sí iontach gasta á líonadh isteach ach, mar sin féin, is beag maidin a sháraíodh uirthi na freagraí uilig a aimsiú agus ní fhágadh sí an paipéar uaithi go mbíodh an leid dheireanach scríofa isteach aici.

3 Cuir na codanna a bhfuil líne fúthu sna habairtí seo a leanas san uimhir iolra:

a) Bíonn an bhean a bhíonn ag obair sa bhialann iontach gnaitheach.
b) Bíonn an seanduine sin ina shuí sa choirnéal i gcónaí.
c) D'amharc sé ar an fhéilire a bhí in airde ar an bhalla.
d) A Athair Shíoraí, nach mé a bhí bómánta a ghlac leis an iasacht sin?

4 Líon an bhearna i ngach ceann de na habairtí seo a leanas le focal cuí as an téacs:

1 Tá ____________ shúl agam air ach ní cuimhin liom a ainm.
2 Níl ach ___________ amháin eile de dhíth orm agus beidh an crosfhocal críochnaithe agam.
3 Níl mé ró _____________ don bhialann sin, b'fhearr liom triail a bhaint as ceann inteacht eile.
4 Tabhair domh do pheann ar ___________ bomaite beag, le do thoil, mar níl mo cheann féin ag scríobh mar is ceart.
5 Caithfear na foirmeacha seo a ____________ isteach agus a chur sa phost láithreach.
6 Dúirt sí go dtiocfadh sí agus ansin d'athraigh sí a ___________ .
7 Tá eagla orm go bhfuil éirí in _________ sa duine sin.
8 Tá siad ina gcónaí cúpla _____________ taobh amuigh den bhaile mhór.

5 Déan cur síos ar na foirmeacha de na briathra a leanas a bhfuil líne fúthu.

m.sh. *glanann sé* = an tríú pearsa fhirinscneach, uimhir uatha, (foirm neamhspleách) den aimsir ghnáthláithreach den bhriathar *glan/glanadh*.

(a) bhain sé
(b) Ní he an t-ocras ...
(c) Bhíodh sé
(d) ní raibh sé
(e) ní fhágadh sí
(f) d'aithin sé
(g) Nach mé a bhí bómánta?
(h) a tugadh domh

6 Déan cur síos ar thuiseal, uimhir, dhíochlaonadh agus inscne na n-ainmfhocal a leanas a bhfuil líne fúthu.

m.sh. *lár an bhóthair* = an tuiseal ginideach, uimhir uatha, den ainmfhocal *bóthar*, an chéad díochlaonadh, firinscneach.

(a) Ní hé an t-ocras
(b) uair sa tseachtain
(c) muintir na bialainne
(d) ar an bhalla
(e) A Athair Shíoraí
(f) ní raibh na rudaí sin

Roinn C

Saorchumadóireacht

Tabharfar marcanna níos airde dóibh siúd a bhainfeas úsáid as a gcuid focal féin in áit frásaí nó téarmaíocht a bhaint amach as an tsliocht thuas.

i) Scríobh cúig abairt (nó thart fá 50 focal) fá dhrochlá a bhí agat féin aon uair amháin.

ii) Cad é a dhéanfá dá mbainfeá cúig mhilliún punt ar an Chrannchur Náisiúnta? Scríobh cúig abairt (nó thart fá 50 focal).

'A pháistí,' ar sise, 'ba cheart daoibhse bheith in bhur luí.'

Aistriúchán agus triail tuigbheála 6

(i) Aistrigh an sliocht a leanas go Béarla.

Am luí i dteach Scott

Bhí sé leath i ndiaidh a deich san oíche agus Trevor Scott ag cur na gcupaí agus na bplátaí a nigh agus a thriomaigh sé isteach sna cófraí ina n-áit féin. Níorbh fhada anois go mbeadh sé réidh le hobair an lae agus go dtiocfadh leis suí síos tamall.

Bhí a bhean, Wilma, ina suí sa chistin ina chuideachta. Bhí sise ag léamh an nuachtáin agus é spréite amach ar an tábla aici. Ní bean í a chaithfeadh mórán ama á léamh, fiche bomaite nó mar sin agus bheadh a seacht sáith aici de. Níor shuim léi an spórt ná an pholaitíocht, mar shampla. Os a choinne sin, ba bhreá léi léamh fá chásanna cúirte agus fá shaol na 'réaltaí scannán'. Bhaineadh sí triail as an chrosfhocal ó am go ham ach ní éiríodh léi níos mó ná deich bhfreagra a aimsiú. Ar scor ar bith, d'fhágtaí an crosfhocal ag Trevor, a fear céile. Ní raibh ní ar bith ar an tsaol ab ansa leis siúd ná tabhairt faoin chrosfhocal roimh dhul a luí dó. Mhaíodh sé go gcoinníodh an cleachtadh beag laethúil sin a intinn géar agus go gcuidíodh sé leis fosta oíche mhaith chodlata a fháil ina dhiaidh.

Ba é Máirtín an páiste ab óige sa teaghlach agus bhí sé sin ina luí le dhá uair an chloig anuas ach bhí an cúpla ina suí sa tseomra suí ag amharc ar an teilifís. Mheas Wilma go raibh sé thar am acusan bheith ag greadadh leo a luí. D'fhág sí uaithi an páipéar agus chuaigh isteach chucu.

'A pháistí,' ar sise, 'ba cheart daoibhse bheith in bhur luí, mar nuair a bhí mise trí bliana déag d'aois ní ligfí domhsa bheith i mo shuí go dtí an t-am seo den oíche. Rinne mé féin agus bhur n-athair eisceacht anocht mar gheall ar an pheil, ach tá an cluiche sin thart le leathuair an chloig. Suas libh a luí anois agus ná déanaigí dearmad bhur gcuid fiacla a scuabadh agus na soilse a mhúchadh.'

'Á, bhuel,' arsa duine amháin acu leis an duine eile, 'ní thig linn bheith ag gearán mar ní hé amháin gur ligeadh dúinn amharc ar an chluiche ach bhain an fhoireann s'againne trí in aghaidh a haon.' D'aontaigh an leathchúpla eile go huile is go hiomlán leis na rudaí a bhí a dheartháir i ndiaidh a rá agus chuaigh siad suas a luí go sona sásta.

(ii) Léigh an sliocht thuas arís agus freagair na ceisteanna thíos.

Roinn A

Tabharfar níos mó marcanna dóibh siúd a fhreagróidh na ceisteanna ina bhfocail féin in áit a bheith ag baint frásaí nó téarmaí go díreach amach as an tsliocht.

1 An é Trevor a nigh na soithí an oíche áirithe seo?
2 An mbeadh mórán eile d'obair an tí le déanamh aige ina dhiaidh sin?
3 Cá mhéad duine a bhí sa chistin?
4 An gcoinníodh Wilma greim ar an pháipéar ar feadh na n-uaireanta fada?
5 Ainmnigh dhá rud nach raibh spéis ag bean chéile Trevor iontu?
6 Cad é na rudaí a nochtadh sí suim mhór iontu?
7 An dtaitníodh an crosfhocal le Trevor?

8 Cad é na buntáistí a bhí ag baint leis an chrosfhocal, dar leis?
9 Cad é an t-am a ndeachaigh Máirtín a luí?
10 Cá mhéad páiste atá ag Wilma agus Trevor?
11 Má tá ceithre bliana ag an chúpla ar Mháirtín, cad é an aois a bheadh ag Máirtín?
12 An dtugtaí cead do Wilma bheith ina suí go mall san oíche ina hóigese?
13 Cad chuige a bhfuair an cúpla cead speisialta bheith ina suí mall?
14 Cad é an dá achainí dheireanacha a d'iarr Wilma ar an chúpla?
15 Cad chuige nach raibh fearg ar an chúpla ag dul a luí dóibh?

Roinn B

1 Scríobh ar dhóigh eile na codanna a bhfuil líne fúthu sna habairtí seo a leanas. Bain úsáid as focail atá sa tsliocht thuas:

1 Is gearr go raibh laethanta saoire an tsamhraidh linn.
2 Ní raibh duine ar bith in éineacht liom ar maidin.
3 Bíonn mo dhá dhóthain le déanamh agam mar atá mé gan tuilleadh oibre a thabhairt domh.
4 Buailfidh mé leat ar leath i ndiaidh a seacht os comhair na hamharclainne.
5 Tagann siad ar cuairt chugam anois is arís.
6 Ní bhínn ábalta mo chuid oibre a chur i gcrích in am.
7 Bainfidh mé triail as i gcás ar bith nó b'fhéidir go mbeadh dúil agam ann.
8 Deireadh sí gurbh í a bialann féin an bhialann ab fhearr sa tír.
9 Bhí mé den bharúil nach dtiocfadh siad ar ais in am.
10 Chuala mé tormán mór amuigh ar an tsráid, chuir mé síos an leabhar agus d'amharc amach ar an fhuinneog go bhfeicfinn cad é a bhí ag dul ar aghaidh.
11 Is mithid domhsa bheith ag dul abhaile.
12 Nár chóir duit litir a scríobh chuige agus do chás a chur ina láthair?
13 Ní bheadh cead acu an teach mór sin a leagan agus árasáin a thógáil ina áit.
14 Bíonn an duine sin i gcónaí ag tabhairt amach fá rud inteacht.

15 Bhuaigh siad dhá mhilliún punt ar an Chrannchur Náisiúnta.
16 Beidh Contae na Gaillimhe ag imirt in éadan Chontae an Dúin Dé Domhnaigh seo chugainn.

2 Cuir gach briathar a bhfuil líne faoi sna sleachta seo a leanas san aimsir ghnáthláithreach:

i) Bhí sise ag léamh an nuachtáin. Ní bean í a chaitheadh mórán ama á léamh, fiche bomaite agus bheadh a seacht sáith aici de. Níor shuim léi an spórt ná an pholaitíocht. Os a choinne sin, ba bhreá léi léamh fá chásanna cúirte.

ii) Bhaineadh sí triail as an chrosfhocal ó am go ham ach ní éiríodh léi níos mó ná deich bhfreagra a aimsiú. Ar scor ar bith, d'fhágtaí an crosfhocal ag Trevor, a fear céile.

3 Cuir na codanna a bhfuil líne fúthu sna habairtí seo a leanas san uimhir uatha:

i) Bhí Trevor Scott ag cur na gcupaí agus na bplátaí a nigh agus a thriomaigh sé isteach sna cófraí.
ii) 'A pháistí,' ar sise, 'ba cheart daoibhse bheith in bhur luí.
iii) Suas libh a luí anois agus ná déanaigí dearmad bhur gcuid fiacla a scuabadh agus na soilse a mhúchadh.

4 Líon an bhearna i ngach ceann de na habairtí seo a leanas le focal cuí as an téacs:

1 Thóg sé an tuáille agus ___________ é féin.
2 Chaith mé ____________ fada ag gabháil do m'obair bhaile aréir.
3 An raibh duine ar bith eile i do ____________ aréir nó an ndeachaigh tú leat féin?
4 Is aoibhinn agus is __________ liomsa teas an tsamhraidh.
5 Bíonn ar an ghrúpa sin ___________ a bheith acu roimh gach coirm cheoil.
6 Bíonn mála _____________ de dhíth ort agus tú ag campáil.
7 Is breá liomsa nuair a bíos an ____________ cruinn le chéile ag an Nollaig.

8 Nollaig ________ agus bliain úr faoi mhaise duit.

5 Déan cur síos ar na foirmeacha de na briathra a leanas a bhfuil líne fúthu.

m.sh. *glanann sé* = an tríú pearsa fhirinscneach, uimhir uatha, (foirm neamhspleách) den aimsir ghnáthláithreach den bhriathar *glan/glanadh*.

(a) Níorbh fhada anois go mbeadh sé
(b) Níor shuim léi an spórt
(c) Bhaineadh sí triail as
(d) d'fhágtaí an crosfhocal ag Trevor
(e) Ba é Máirtín an páiste ...
(f) ní ligfí domhsa
(g) ná déanaigí dearmad
(h) chuaigh siad suas

6 Déan cur síos ar thuiseal, uimhir, dhíochlaonadh agus inscne na n-ainmfhocal a leanas a bhfuil líne fúthu.

m.sh. *lár an bhóthair* = an tuiseal ginideach, uimhir uatha, den ainmfhocal *bóthar*, an chéad díochlaonadh, firinscneach.

(a) ag cur na gcupaí
(b) ag léamh an nuachtáin
(c) Níor shuim léi an pholaitíocht
(d) as an chrosfhocal
(e) A pháistí
(f) go dtí an t-am seo

Roinn C

Saorchumadóireacht

Tabharfar marcanna níos airde dóibh siúd a bhainfeas úsáid as a gcuid focal féin in áit frásaí nó téarmaíocht a bhaint amach as an tsliocht thuas.

i) Scríobh cúig abairt (nó thart fá 50 focal) ar ghné éigin de ról na nuachtán sa lá atá inniu ann.

ii) Scríobh cúig abairt (nó thart fá 50 focal) ar bhuntáistí agus ar mhíbhuntáistí na teilifíse.

Chaithimis uair an chloig ag iomramh an méid a bhíodh inár gcorp.

Aistriúchán agus triail tuigbheála 7

(i) Aistrigh an sliocht a leanas go Béarla.

Clive Westwood, cúlra innealtóra

Is mise Clive Westwood agus is Sasanach mé. Is as Birmingham ó dhúchas mé agus chaith mé mo shaol sa chathair sin go raibh mé ocht mbliana déag d'aois. Le linn domh bheith ag gabháil do mo chuid A-Leibhéal, líon mé isteach cúpla foirm iarratais d'institiúidí tríú leibhéal. Chuir mé isteach ar áit ar chúrsa ailtireachta i Londain agus d'áit ar chúrsa innealtóireachta i gcoláiste i Learpholl. Ar fhágáil na scoile domh, ní raibh na gráid a bhain mé amach sna scrúduithe ard go leor le leanstan ar aghaidh leis an ailtireacht. Diúltaíodh glacadh liom i Londain, agus ní miste liom a admháil gur chuir sin isteach go mór orm ar feadh chúpla lá. Samhlaíodh domh go raibh deireadh liom: bhí mo fhéinmhuinín an-íseal, mhothaigh mé iontach míchumasach agus ní raibh meas agam orm féin.

Ach níor mhair an díomá i bhfad mar go gairid ina dhiaidh sin (cúpla lá nó mar sin), tairgeadh áit domh ar chúrsa innealtóireachta sa choláiste i Learpholl. Ag smaoineamh siar air sin uilig, mholfainn go láidir do dhuine ar bith gan an oiread sin tábhachta a cheangal le scrúdú ar bith - ní fiú é - mar tá sinne, mar dhaoine, i bhfad níos tábhachtaí ná grád nó céatadán ar phíosa páipéir.

Is é an deireadh a bhí ar an scéal ná go ndeachaigh mé go Learpholl i lár Mhí Mheán an Fhómhair ansin le staidéar a dhéanamh ar an innealtóireacht. Creid é nó ná creid, ach tá cónaí orm ar an bhaile sin ó shin i leith. Is doiligh a chreidbheáil gur sin fiche bliain ó shin. Nuair a tháinig mé go Learpholl i dtús báire bhí cúpla deacracht agam: ba é seo an chéad uair riamh a scar mé le mo theaghlach agus mhothaigh mé uaigneach agus bhí mo sháith cumha orm. Mar bharr ar an donas, bhí mé millteanach faiteach agus ní raibh sé furasta agam meascadh le daoine nua.

Mar sin féin, choinnigh mé orm agus, de réir a chéile, chuir mé aithne ar dhaoine a bhí ar an chúrsa liom nó a bhí ag stopadh i mo chuideachta sna hallaí cónaithe. Chláraigh mé mar bhall den chumann rámhaíochta agus chuidigh baill an chumainn sin liom níos mó ná dream ar bith eile ar an choláiste. Bhí scoith na stócach ar aon bhád liom agus bhíodh siad (= bhídís) an-lách liom. Chuaigh againn fosta Craobh na nOllscoileanna a bhaint. Ní gan dúthracht ná díbhirce a rinneadh sin, áfach. Bhínn i mo shuí ceithre mhaidin sa tseachtain ar a sé a chlog agus amuigh ar an abhainn leathuair ina dhiaidh sin. Chaithimis uair an chloig ag iomramh an méid a bhíodh inár gcorp. Níor mhiste liom fán éirí luath ná fán traenáil ach chuireadh an fuacht isteach ar mo mhéara in amanna. Ach sin ráite, a léitheoir dhílis, dá mbeadh sé le déanamh arís agam dhéanfainn go fonnmhar é.

(ii) Léigh an sliocht thuas arís agus freagair na ceisteanna thíos.

Roinn A

Tabharfar níos mó marcanna dóibh siúd a fhreagróidh na ceisteanna ina bhfocail féin in áit a bheith ag baint frásaí nó téarmaí go díreach amach as an tsliocht.

1 Cén tír arb as Clive Westwood?
2 Cén chathair ar tógadh inti é? (= Cén chathair inar tógadh é?)

3 Cá huair a líon Clive isteach na foirmeacha iarratais?
4 Cad é an chéad rogha a bhí aige mar chúrsa tríú leibhéal?
5 Cad chuige nach ndeachaigh sé ar aghaidh leis an ailtireacht?
6 An raibh sé briste go mór nuair nár glacadh leis i Londain?
7 Cad é an dóigh ar chuir an diúltú sin isteach air?
8 Ar chaith sé níos mó ná seachtain faoi ghruaim i ndiaidh é an litir a fháil ó Londain?
9 Cad é an dara tairiscint a fuair sé?
10 Cad é an chomhairle a chuirfeadh Clive orainn maidir le torthaí scrúduithe?
11 Cén séasúr den bhliain a chuaigh Clive go Learpholl?
12 Cá haois Clive Westwood?
13 Ar shocraigh Clive i Learpholl ag teacht ann dó láithreach bonn?
14 Cad é na deacrachtaí a bhí ag Clive nuair a tháinig sé go Learpholl den chéad uair?
15 Ainmnigh trí dhóigh ar chuir Clive aithne ar dhaoine eile?
16 Cad é a léiríonn dúinn go raibh Clive sásta lena chomrádaithe sa chumann rámhaíochta?
17 Cad é mar atá a fhios againn go raibh siad éifeachtach mar fhoireann?
18 Cá mhinice a bhídís ag traenáil?
(= Cé chomh minic agus a bhíodh siad ag traenáil? *U*)
19 Cad é an t-am de mhaidin a mbíodh an fhoireann amuigh ar an abhainn?
20 An dtaitníodh an traenáil le Clive?
21 Cad é an ghné den rámhaíocht nach dtaitníodh leis?

Roinn B

1 Scríobh ar dhóigh eile na codanna a bhfuil líne fúthu sna habairtí seo a leanas. Bain úsáid as focail atá sa tsliocht thuas:

1 Rugadh i mBéal Feirste mé.
2 Beidh Seán ag obair thall i Meiriceá i rith an tsamhraidh.
3 Fuair sé céim BA anuraidh.
4 Tugadh droim láimhe dó.
5 Ghoill an diúltú uirthi.
6 Taibhsíodh dúinn go raibh an ceart aici.
7 Tá mo chuid airgid go léir caite.
8 Bíonn Linda i gcónaí ag machnamh ar chúrsaí an tsaoil.

9 Chuirfinn comhairle oraibh gan dhul an bealach sin san oíche.
10 Is luachmhaire sonas na bpáistí ná táblaí na dtorthaí.
11 Is deacair a rá cé acu atá sí istigh nó nach bhfuil.
12 Ní bheidh fadhb ar bith agat an aiste sin a scríobh.
13 Labhair go séimh leis an duine sin agus cuir ar a shuaimhneas é már tá sé an-chúthail.
14 Bhí cuma dheacair ar na ceisteanna sin ach nuair a shuigh mé síos le iad a fhreagairt chonacthas domh go raibh siad simplí go leor.
15 Ná bí buartha fán Ghaeilge, mar éireoidh tú cleachta léi diaidh ar ndiaidh.
16 An bhfuil aithne agatsa ar an óigfhear sin?
17 Ní gan stró ná streachailt a chuaigh againn an teach a thógáil.
18 Ba ghnách liom bheith i dteach mo mháthar móire go mion minic.
19 Ritheadh Seán comh gasta agus ab fhéidir leis amuigh ar pháirc na peile.

2 Cuir gach briathar a bhfuil líne faoi sna sleachta seo a leanas san aimsir fháistineach:

i) Líon mé isteach cúpla foirm iarratais agus chuir mé isteach ar áit ar chúrsa ailtireachta i Londain ach diúltaíodh glacadh liom.

ii) Mar sin féin, choinnigh mé orm agus, de réir a chéile, chuir mé aithne ar dhaoine a bhí ar an chúrsa liom. Chláraigh mé mar bhall den chumann rámhaíochta agus chuidigh baill an chumainn sin liom. Bhí scoith na stócach ar aon bhád liom agus chuaigh againn Craobh na nOllscoileanna a bhaint.

3 Cuir na codanna a bhfuil líne fúthu sna habairtí seo a leanas san uimhir iolra:

a) Chaith mé mo shaol sa chathair sin.

b) Tairgeadh áit domh ar chúrsa innealtóireachta sa choláiste i Learpholl.

c) Tá cónaí orm ar an bhaile sin ó shin i leith.

Cuir na codanna a bhfuil líne fúthu sna habairtí seo a leanas san uimhir uatha:

a) Ní raibh na gráid a bhain mé amach sna scrúduithe ard go leor.
b) Tá sinne, mar dhaoine, i bhfad níos tábhachtaí ná grád nó céatadán.
c) Chuaigh againn Craobh na nOllscoileanna a bhaint.

4 Líon an bhearna i ngach ceann de na habairtí seo a leanas le focal cuí as an téacs:

a) Caithfidh mé a ____________ go raibh an scannán sin i bhfad níb fhearr ná mar a shíl mé a bheadh.
b) Ní thiocfadh linn an dlúthdhiosca a chluinstin mar bhí an fhuaim ró- _______ .
c) Is mise, le ________, Breandán Ó hUiginn.
d) Níl a ______ turasóirí ná cuairteoirí thart i mbliana as siocair na drochaimsire.
e) Más mian leat labhairt leis an stiúrthóir, déan coinne leis an rúnaí i ______ ____________.
f) Beidh an lánúin sin _________ go leor nuair a imeos (= imeoidh) a gclann uathu arís i ndiaidh na Nollag.
g) An bhfuil tú cinnte go bhfuair tú go leor le hithe? Fuair, mo ____ is barraíocht.
h) Thig liom cur suas leis an teas ach níl mé ábalta an __________ a fhuilstin ar chor ar bith.

5 Déan cur síos ar na foirmeacha de na briathra a leanas a bhfuil líne fúthu.

m.sh. *glanann sé* = an tríú pearsa fhirinscneach, uimhir uatha, (foirm neamhspleách) den aimsir ghnáthláithreach den bhriathar *glan/glanadh*.

(a) Is mise Clive Westwood
(b) Chuir mé isteach
(c) Diúltaíodh glacadh liom
(d) mholfainn go láidir
(e) ba é seo
(f) Bhídís nó Bhíodh siad
(g) Chaithimis uair an chloig
(h) dhéanfainn go fonnmhar é

6 Déan cur síos ar thuiseal, uimhir, dhíochlaonadh agus inscne na n-ainmfhocal a leanas a bhfuil líne fúthu.

m.sh. *lár an bhóthair* = an tuiseal ginideach, uimhir uatha, den ainmfhocal *bóthar*, an chéad díochlaonadh, firinscneach.

(a) cúrsa innealtóireachta
(b) ní raibh na gráid
(c) ar an bhaile
(d) baill an chumainn sin
(e) Craobh na nOllscoileanna
(f) a léitheoir dhílis

Roinn C

Saorchumadóireacht

Tabharfar marcanna níos airde dóibh siúd a bhainfeas úsáid as a gcuid focal féin in áit frásaí nó téarmaíocht a bhaint amach as an tsliocht thuas.

i) Scríobh cúig abairt (nó thart fá 50 focal) fá na buntáistí agus/nó na míbhuntáistí a bhaineas le scrúduithe.

ii) Scríobh cúig abairt (nó thart fá 50 focal) fán tábhacht atá ag baint le comhoibriú (agus le haon rud eile) do dhaoine atá ag obair mar ghrúpa nó mar fhoireann.

Chuaigh aici an eochair a chur sa ghlas agus an doras a oscailt.

Aistriúchán agus triail tuigbheála 8

(i) Aistrigh an sliocht a leanas go Béarla.

Gan stad gan staonadh!

Bhí faoiseamh mór ar Bhreanda nuair a leag sí síos na málaí troma a bhí ar iompar aici an céad slat fhada sin ó stad an bhus go doras a tí féin. Chuardaigh sí (= Chuartaigh sí) ina póca go bhfuair eochair an dorais agus, i ndiaidh iarraidh nó dhó, chuaigh aici an eochair a chur sa ghlas agus an doras a oscailt. Shiúil sí caol díreach isteach sa chistin agus líon an citeal d'uisce fá choinne caife.

'A Dhia ár sábháil,' ar sise léi féin, 'tá sé leath i ndiaidh a dó dhéag cheana féin. Ní fheicfeá an t-am ag imeacht - trí huaire an chloig ag siopadóireacht - is doiligh a chreidbheáil. Cá n-imíonn an t-am?'

Má bhí sí traochta féin ní raibh drochspionn uirthi i ndiaidh a turais go lár na cathrach, mar bhí gach a raibh uaithi an mhaidin sin ag imeacht di, bhí sin léi chun an bhaile anois agus thug an méid sin sásamh mór intinne di.

Bhí an teach fúithi féin, bhí a fear céile amuigh ag obair, bhí an bheirt is sine de na páistí ar an mheánscoil agus an triúr is óige ar an bhunscoil. Gheobhadh sí faill anois suí síos tamall agus triail a bhaint as na brioscaí meala agus as an chaife Iodálach a cheannaigh sí. Cé go raibh grá a croí aici dá fear agus dá páistí b'aoibhinn léi seal mar seo a chaitheamh léi féin gan duine ar bith ag cur chuici ná uaithi. B'fhéidir nár thuig a clann go mbíodh siad ag síoriarraidh rudaí uirthi ó mhaidin go hoíche gan sos gan stad - ach bhíodh!

Ní hé nár mhaith léi bheith ag cuidiú leo. Ba mhaith, ach is minic a d'fhiafraíodh sí di féin cad é a dhéanfadh siad gan í? Ach níor luaithe na focail sin as a béal go bhfiafraíodh sí di féin cad é a dhéanfadh sise gan iadsan? Ach ba chuma léi anois, níor mhian léi an seanscéal sin a spíonadh athuair. Ina áit sin, bhí sé ar intinn aici dearmad a dhéanamh ar achan rud agus tabhairt faoin iris a bhí léi chun an bhaile. Shuífeadh sí síos anois le í a léamh ó thús go deireadh agus bolgam deas caife á ól aici.

Bhí an caife doirte amach aici, na brioscaí curtha ar phláta, na bróga bainte di agus í ar tí suí ar an tolg nuair a chuala sí tormán cos amuigh ar an chosán agus clog an dorais á bhualadh. Chonaic sí cruth an chuairteora fríd ghloine an dorais ach ní thiocfadh léi tomhas cérbh é an strainséir seo.

(ii) Léigh an sliocht thuas arís agus freagair na ceisteanna thíos.

Roinn A

Tabharfar níos mó marcanna dóibh siúd a fhreagróidh na ceisteanna ina bhfocail féin in áit a bheith ag baint frásaí nó téarmaí go díreach amach as an tsliocht.

1 Cad é mar a tháinig Breanda abhaile ó lár na cathrach an lá seo, i do bharúil?
2 Cá háit a raibh eochair an dorais á hiompar aici?
3 Ar éirigh léi an doras a oscailt den chéad iarraidh?
4 Cad é an chéad rud a rinne sí ar theacht isteach chun tí di?
5 Cad é an t-am ar thosaigh sí ag siopadóireacht, dar leat?
6 Cad chuige a raibh sí sásta i ndiaidh na siopadóireachta?
7 An raibh duine ar bith eile sa teach ag teacht ar ais di?
8 Cá mhéad páiste atá ag Breanda?

9 An raibh sí ag dúil go mór leis an scíste (= scíth) agus leis an tsuaimhneas?
10 Ar mheas sí go mbíodh a clann ag iarraidh barraíocht uirthi in amanna?
11 Cad é an t-ábhar léitheoireachta a cheannaigh sí i lár na cathrach?
12 Cad é a bheadh le hithe aici leis an chaife?
13 Cad é a bhí Breanda ag brath a dhéanamh sular tháinig an duine sin go dtí an doras?
14 An duine de lucht aitheantais Bhreanda a bhí ag an doras?

Roinn B

1 Scríobh ar dhóigh eile na codanna a bhfuil líne fúthu sna habairtí seo a leanas. Bain úsáid as focail atá sa tsliocht thuas:

1 Bhuail an madadh mór in éadan an pháiste agus chuir sé ar an talamh é.
2 Buailfidh mé leat sa bhialann tar éis an dráma.
3 Bhí mo mhac iontach tuirseach tar éis an chluiche.
4 Ní raibh fonn maith ar an mhúinteoir nuair a dúradh leis gur goideadh a charr.
5 An bhfuair tú gach rud a bhí de dhíth ort?
6 Ní raibh duine ar bith eile sa teach ach é féin.
7 An dtig leat an litir seo a chur i mbocsa an phoist má bhíonn seans agat?
8 Ba d(h)eas le Seán theacht ar ais óna chuid oibre, suí síos agus éisteacht le ceol clasaiceach.
9 Níor fhan sé anseo ach tamall beag gearr agus ansin d'imigh sé leis.
10 Ní raibh duine ar bith ag cur amach ná isteach orm.
11 An mbíonn Seán ag cabhrú leat sa ghairdín?
12 Beidh ort an aiste sin a scríobh amach arís mar ní bheidh aon duine ábalta an pheannaireacht sin a léamh.
13 Bhí rún acu dhul go Meiriceá anuraidh ach ní raibh go leor airgid acu.
14 An ólfá braon tae? D'ólfadh, cinnte.

2 Cuir gach briathar a bhfuil líne faoi sna sleachta seo a leanas san aimsir chaite:

i) Ní fheicfeá an t-am ag imeacht.
ii) Cá n-imíonn an t-am?
iii) Is minic a d'fhiafraíodh sí di féin cad é a dhéanfadh siad gan í, ach níor luaithe na focail sin as a béal go bhfiafraíodh sí di féin cad é a dhéanfadh sise gan iadsan?

3 Athraigh na habairtí seo a leanas de réir mar atá léirithe sa tsampla thíos:

m.sh. Bhris mé an cupán. ➤ Tá an cupán briste agam.

a) Cheannaigh sí gach a raibh uaithi.
b) Fuair mé faill sa deireadh.
c) Rinne siad dearmad ar gach rud.
d) Léigh mé an iris ó thús go deireadh.

4 Líon an bhearna i ngach ceann de na habairtí seo a leanas le focal cuí as an téacs:

1 Bhí an phian do mo mharú ach nuair a shlog mé siar an piolla thug sin ____________ domh.
2 Shíl mé go raibh mo pheann caillte agam ach __________ mé i ngach póca de mo chasóg go bhfuair mé é.
3 Ar mhaith leat dhul chuig an phictiúrlann anocht? Níor mhaith, go raibh maith agat. Tá an scannán sin feicthe agam ____________ _________.
4 Caithfidh mé a rá gur bhain mé sult agus _____________ as an rang sin.
5 Bhí piachán ionam agus mhol mo mháthair domh crúiscín _________ a cheannach(t) agus cúpla spúnóg di a ghlacadh i rith an lae. Rud a rinne mé.
6 Is ____________ liom bheith cois farraige lá breá gréine.
7 D'iarr mé orthu ____________ liom an troscán a iompar isteach sa teach.
8 Tá an mháthair sin iontach _____________ dá clann.

5 Déan cur síos ar na foirmeacha de na briathra a leanas a bhfuil líne fúthu.

m.sh. *glanann sé* = an tríú pearsa fhirinscneach, uimhir uatha, (foirm neamhspleách) den aimsir ghnáthláithreach den bhriathar *glan/glanadh*.

(a) leag sí síos
(b) ní fheicfeá an t-am ag imeacht
(c) Cá n-imíonn an t-am?'
(d) Gheobhadh sí faill anois
(e) bhíodh siad (= bhídís)
(f) Ní hé nár mhaith léi ...
(g) is minic a d'fhiafraíodh sí
(h) níor mhian léi ...

6 Déan cur síos ar thuiseal, uimhir, dhíochlaonadh agus inscne na n-ainmfhocal a leanas a bhfuil líne fúthu.

m.sh. *lár an bhóthair* = an tuiseal ginideach, uimhir uatha, den ainmfhocal *bóthar*, an chéad díochlaonadh, firinscneach.

(a) eochair an dorais
(b) A Dhia ár sábháil
(c) ní fheicfeá an t-am ag imeacht
(d) na focail sin
(e) tormán cos
(f) amuigh ar an chosán

Roinn C

Saorchumadóireacht

Tabharfar marcanna níos airde dóibh siúd a bhainfeas úsáid as a gcuid focal féin in áit frásaí nó téarmaíocht a bhaint amach as an tsliocht thuas.

i) Scríobh cúig abairt (nó thart fá 50 focal) fán lá siopadóireachta is fearr (nó is measa) dá raibh riamh agat.

ii) Scríobh cúig abairt (nó thart fá 50 focal) fá ról na máthar sa teaghlach.

D'oibríodh sé go han-dian i rith na seachtaine.

Aistriúchán agus triail tuigbheála 9

(i) Aistrigh an sliocht a leanas go Béarla.

Ag obair ó dhubh go dubh - Domhnach is dálach

D'éirigh Tomás Ó Dochartaigh nuair a d'fhógair léitheoir nuachta an raidió go raibh sé a naoi a chlog. Déanta na fírinne, bhí sé ina luí múscailte le trí cheathrú uair an chloig roimhe sin mar gur mhúscail a bhean Sorcha é ag éirí dise ag an am sin ach, ina ainneoin sin, luigh Tomás leis tamall beag eile ag ligint a scíste. Ní hé gur duine falsa a bhí ann - a mhalairt ar fad a bhí fíor nó d'oibríodh sé go han-dian i rith na seachtaine agus bhíodh sé ina shuí bunús achan mhaidin ar leath i ndiaidh a sé. Deireadh fostaitheoir Thomáis go mion is go minic os comhair na n-oibrithe eile nach raibh an dara hoibrí sa mhonarcha a bhí comh dúthrachtach leis.

'Is beag atá inchurtha leat, a mhic, mar is oibrí den scoith thú. Ní fhaca mé do leithéid riamh, a Thomáis, agus ní fheicfidh choíche arís.'
'Éistigí leis,' a deireadh Tomás lena chomhghleacaithe, 'shílfeá nach raibh

anseo ach mé féin, ach ar ndóigh ní thiocfadh liom feidhmiú gan an cuidiú iontach a fhaighim uaibhse, a chairde. Is ábhar bróid domh bheith mar chuid den fhoireann iontach seo. Ní thig an moladh a thabhairt do dhuine aonair mar ní neart go cur le chéile.'

Mar sin féin, an Satharn a bhí ann agus níor mhiste le Tomás éirí beagáinín níba mhoille ná mar a ba ghnách leis. Mhothaigh sé marbh tuirseach an mhaidin áirithe seo de bhrí gurbh éigean dó féin agus dá chomhghleacaithe ordú mór a dhéanamh suas agus a chur chun bealaigh roimh a sé a chlog arú inné. Mura mbeadh an t-ordú réidh roimhe sin ní bheadh na leoraithe in am go leor don bhád. Mar bharr air seo, b'éigean an mhonarcha a ghlanadh ó bhun go barr an lá ina dhiaidh sin. Ach, mar is gnách, chuir Tomás agus a fhoireann an obair seo díobh go slachtmhar. Glanadh an mhonarcha ó bhun go barr agus d'fhéadfaí a rá nach raibh sí riamh comh glan ó tógadh í.

Cé go mbíodh lá saor ón obair ag Tomás ar an tSatharn, ní bheadh an Satharn seo comh suaimhneach le gnáth-Shatharn ar bith eile sa bhliain. Ní bheadh ar an ábhar gur shocraigh Sorcha, mí ó shin, go rachadh an teaghlach uilig ar thuras siopadóireachta go Doire agus ansin go mbeadh oíche acu in óstán in Inis Eoghain. Bhí an lá sin buailte leis anois agus bíodh go raibh an t-óstán curtha in áirithe acu ní raibh a dhath ar bith pacáilte go fóill acu. Bheadh acu fosta le 'Ginger' - peata an teaghlaigh - a fhágáil i dteach mháthair Thomáis don deireadh seachtaine ar an ábhar go raibh cosc ar mhadaí san óstán.

(ii) Léigh an sliocht thuas arís agus freagair na ceisteanna thíos.

Roinn A

Tabharfar níos mó marcanna dóibh siúd a fhreagróidh na ceisteanna ina bhfocail féin in áit a bheith ag baint frásaí nó téarmaí go díreach amach as an tsliocht.

1. An raibh Tomás ag éisteacht leis an raidió díreach sular éirigh sé an mhaidin sin?
2. Cad é an t-am ar éirigh Sorcha?
3. Cad é an t-am a n-éiríonn Tomás i rith na seachtaine de ghnáth?
4. An mbíodh leisc ar cheannaire Thomáis a admháil go raibh sé sásta le Tomás mar oibrí?

5 Cad é mar atá a fhios againn gur mhian le Tomás an moladh a rann lena chomhghleacaithe?
6 An fíor a rá gur mhothaigh Tomás lán de bhrí agus d'fhuinneamh ag múscailt dó maidin Dé Sathairn?
7 Cad é an lá den tseachtain arbh éigean do na hoibrithe an t-ordú mór a dhéanamh suas?
8 Cad é a tharlódh, dar leat, dá gcaillfeadh na hoibrithe an sprioc ama don ordú?
9 Cad é an dualgas a bhí orthu an lá arna mhárach?
10 Cad é a chuireann in iúl dúinn go raibh cuma néata ar an mhonarcha ag am druda Dé hAoine?
11 Cad é a bhí beartaithe ag Sorcha don tSatharn áirithe seo?
12 Cad é an mhí a ndearna sí an cinneadh seo?
13 Cad é mar a bhí an t-ullmhúchán don turas seo ag teacht ar aghaidh?
14 Cad é an rud deireanach a bheadh le déanamh ag an teaghlach sula bhfágfadh siad Béal Feirste?
15 An gcuireann lucht an óstáin fáilte roimh pheataí?

Roinn B

1 Scríobh ar dhóigh eile na codanna a bhfuil líne fúthu sna habairtí seo a leanas. Bain úsáid as focail atá sa tsliocht thuas:

1 Chuir Liam i gcéill nár chuala sé mé nuair a scairt mé air ach, leis an fhírinne a dhéanamh, sílim gur chuala.
2 Ní raibh mé i mo dhúiseacht mar is ceart nuair a chuir tú an scairt ghutháin sin orm.
3 Tá mo mhacsa ag éirí an-leisciúil, caithfidh mé tabhairt air níos mó oibre a dhéanamh sa teach.
4 Shíl mé go raibh sé rómhall agam an aiste a chur isteach ach ní hamhlaidh a bhí mar thug an léachtóir síneadh ama do na scoláirí.
5 Bíonn Brian ag staidéar go crua i rith na seachtaine.
6 Ní hannamh a chailleann sí a cuid eochracha.
7 Ní thiocfadh leat comparáid a dhéanamh idir an ceol clasaiceach agus an rac-cheol, mar gur fearr i bhfad an ceol clasaiceach.
8 Is sármhúinteoir (í) Máire.
9 Bhí drochshlaghdán ar Sheán i dtús na seachtaine ach tá sé rud beag níos fearr anois.
10 Bhraith sé nár fhóir na bróga dó, nó chonacthas dó go raibh siad

rótheann.

11 Bhí mé buailte amach i ndiaidh an lá ar fad a chaitheamh ag obair sa ghairdín.
12 Bíodh go bhfuil guth maith cinn aici bíonn faitíos uirthi amhrán a rá os comhair strainséirí.
13 Chríochnaigh mé an obair sin sa deireadh thiar thall!
14 Leag siad amach lá agus dáta don bhainis.

2 Cuir gach briathar a bhfuil líne faoi sna sleachta seo a leanas sa mhodh choinníollach:

i) D'éirigh Tomás Ó Dochartaigh nuair a d'fhógair léitheoir nuachta an raidió an t-am. Bhí sé ina luí múscailte le trí cheathrú uair an chloig roimhe sin mar mhúscail a bhean Sorcha é ag éirí dise, ach luigh Tomás leis tamall beag eile ag ligint a scíste.
ii) Deireadh fostaitheoir Thomáis go mion is go minic...
iii) Mhothaigh sé marbh tuirseach.
iv) Chuir Tomás agus a fhoireann an obair seo díobh go slachtmhar agus glanadh an áit.

3 Cuir na codanna a bhfuil líne fúthu sna habairtí seo a leanas san uimhir iolra:

a) Ní hé gur duine falsa a bhí ann.
b) Is beag atá ionchurtha leat, a mhic, mar is oibrí den scoith thú.
c) Ní thig an moladh a thabhairt do dhuine aonair.
d) Glanadh an áit agus d'fhéadfaí a rá nach raibh sí comh glan riamh ó tógadh í.

4 Líon an bhearna i ngach ceann de na habairtí seo a leanas le focal cuí as an téacs:

1 Is beag __________ a bheadh ar aon intinn le húdar an ailt sin.
2 Chaith sé ___________ fada ag amharc ar an teilifís aréir.
3 Ná bí ró ___________ ar na daoine óga, tabhair seans dóibh.
4 Beidh ___________ na ndaoine sásta leis an chinneadh sin.
5 Ba mhaith leis an chathaoirleach na barúlacha seo a chur __ __________ an choiste.
6 Ní dóigh liom go dtiocfaidh siad ar ais anseo ______________.
7 Bígí ciúin, a pháistí, le bhur dtoil, agus _____________ go cúramach leis an scéalaí.

8 Táimid fíorbhíoch díbh as an ___________ agus as an tacaíocht a thug sibh dúinn.
9 Scríobh an freastalaí síos an _________ agus thug isteach chuig an chistin é.
10 Ní bhíonn sí comh cainteach sin de __________ mar is duine faiteach í.
11 Buaileadh an ___________ sin go dona sa chluiche dheireanach a d'imir siad.
12 ____________ an teach seo deich mbliana ó shin.
13 ____ go bhfuil Gaeilge aige ní minic a bhíonn seans aige í a labhairt.

5 Déan cur síos ar na foirmeacha de na briathra a leanas a bhfuil líne fúthu.

m.sh. *glanann sé* = an tríú pearsa fhirinscneach, uimhir uatha, (foirm neamhspleách) den aimsir ghnáthláithreach den bhriathar *glan/glanadh*.

(a) d'oibríodh sé
(b) is oibrí den scoith thú
(c) Ní fhaca mé do leithéid riamh
(d) Éistigí leis
(e) shílfeá
(f) an cuidiú a fhaighim
(g) glanadh an áit
(h) d'fhéadfaí a rá

6 Déan cur síos ar thuiseal, uimhir, dhíochlaonadh agus inscne na n-ainmfhocal a leanas a bhfuil líne fúthu.

m.sh. *lár an bhóthair* = an tuiseal ginideach, uimhir uatha, den ainmfhocal *bóthar*, an chéad díochlaonadh, firinscneach.

(a) Déanta na fírinne
(b) ag an am sin
(c) os comhair na n-oibrithe eile
(d) a mhic
(e) Is ábhar bróid domh
(f) ní bheadh na leoraithe

Roinn C

Saorchumadóireacht

Tabharfar marcanna níos airde dóibh siúd a bhainfeas úsáid as a gcuid focal féin in áit frásaí nó téarmaíocht a bhaint amach as an tsliocht thuas.

i) Scríobh cúig abairt (nó thart fá 50 focal) fán lá oibre is deacra a bhí agat riamh.

ii) Scríobh cúig abairt (nó thart fá 50 focal) fán dóigh ar mhian leat an Satharn a chaitheamh dá mbeadh do rogha agat.

Bhí gach ní a bheadh ag teastáil uaithi leagtha amach ar an tábla aici.

Aistriúchán agus triail tuigbheála 10

(i) Aistrigh an sliocht a leanas go Béarla.

Thugamar féin an samhradh linn!

Tháinig aoibh ar ghnúis Úna Nic an Bhaird nuair a mhúscail sí ar a seacht a chlog maidin Dé Céadaoin. 'A Úna, a thaisce,' ar sise léi féin, 'cúig huaire an chloig ón am seo agus beidh tú ar bord eitleáin agus tú ar tí imeacht chun na hAstráile. Dhá mhí ghlórmhara de ghrian, de ghaineamh agus de ghreann!'

Ach ní bheadh driopás uirthi ag éirí di. Níorbh eagal di, nó bhí gach rud pleanáilte aici don mhaidin sin. Bhí sí comh heagraithe sin is go raibh deireadh curtha aici leis an phacáil dhá lá ó shin, mar níor mhian léi í féin a chur faoi bhrú ag iarraidh gach rud a chur i gcrích ag an bhomaite dheireanach. Ní mar sin a bhí a cara Sally, áfach. Bhíodh Sally ina rith de shíor, gan ord ná eagar uirthi, agus leathchuma ar achan rud aici - cé, ina ainneoin seo uilig, go dtéadh ag Sally i gcónaí a ceann scríbe a bhaint amach. Déarfadh Sally le hÚna, ar ndóigh, gur fhóir an cineál sin saoil sin di féin. Ach is cinnte nach bhfóirfeadh a leithéid d'easpa ullmhúcháin d'Úna; chaithfeadh gach mionrud bheith ullmhaithe, eagraithe agus foirfe ag Úna. Sin mar a bhí sí.

D'éireodh Úna agus bheadh folcadh deas aici a mhairfeadh leathuair. Bhí dlúthdhiosca de shuantraí le bheith ag seinm le linn di bheith sa tobán folctha. Bheadh an teileafón dícheangailte aici sa dóigh is nach dtiocfadh le duine ná deoraí cur isteach ná amach uirthi. Ina dhiaidh sin, shiúlfadh sí isteach sa chistin agus ghlacfadh sí a cuid ama lena bricfeasta.

Bhí gach ní a bheadh ag teastáil uaithi leagtha amach ar an tábla aici ó bhí aréir ann. Bhí an t-arbhar amuigh réidh le cur sa bhabhal bheag ghlas agus bhí spúnóg lena thaobh - agus gan fiú an bainne nach raibh i gcrúiscín aici ar sheilf uachtair an chuisneora. D'ólfadh sí an caife cumhra sin de chuid na Céinia, a ceannaíodh di dá breithlá, agus d'íosfadh sí *croissant* úr a mbeadh im agus subh air agus bheadh naipcín geal bán aici leis na grabhróga a cheapadh.

Bhéarfadh na gnaithe seo uilig suas go leath i ndiaidh a hocht í agus d'fhágfadh sin an t-am aici lena chinntiú (athuair!) go raibh gach rud léi don turas: pas, víosa, airgead, cárta creidmheasa, mála láimhe, cásanna, cóta, piollaí taistil - ó, agus an t-úrscéal is deireanaí de chuid Maeve Binchy, nó bhí dúil bhocht ag Úna sa léitheoireacht. Thiocfadh an tacsaí, a bhí curtha in áirithe aici ón oíche roimh ré, thiocfadh sin fána coinne ar ceathrú go dtí a naoi agus níor chóir go mbainfeadh sé níos mó ná leathuair aisti an t-aerfort a bhaint amach.

Níor mhian le hÚna an teach a bheith ina luí folamh - agus í ar shiúl as baile - ach sáraíodh an fhadhb bheag sin mar bhí col ceathrair de chuid Úna le fanacht ann. Bhí an col ceathrair seo ag iarraidh cíos a íoc le hÚna, ach dhiúltaigh Úna a oiread is pingin rua a ghlacadh uaithi. A fhad is go mbeadh duine iontaofa ag coimhéad an tí, bhí Úna breá sásta. Ní raibh ann ach dhá choinníoll: nach mbeadh cóisir ar bith sa teach le linn an dá mhí sin, agus go mbeadh an lóistéir ar shiúl amach as an teach roimh thús Mhí Mheán Fómhair nuair a thiocfadh Úna ar ais don téarma úr sa scoil a raibh sí ag teagasc inti. Bhí eochair eile do theach Úna ag máthair Úna agus is go teach mháthair Úna a rachadh a duine muinteartha leis an eochair a fháil.

(ii) Léigh an sliocht thuas arís agus freagair na ceisteanna thíos.

Roinn A

Tabharfar níos mó marcanna dóibh siúd a fhreagróidh na ceisteanna ina bhfocail féin in áit a bheith ag baint frásaí nó téarmaí go díreach amach as an tsliocht.

1 An raibh cuma shásta ar Úna nuair a dhúisigh sí an mhaidin sin?
2 Cad é an t-am a n-imeodh eitilt Úna an lá sin?
3 Cad é an leid a thug Úna dúinn go mbeadh sí ag caitheamh a cuid ama cois farraige agus í amuigh san Astráil?
4 An duine mí-eagraithe (í) Úna, dar leat?
5 An nglacfadh Sally an cúram céanna agus a ghlacfadh Úna maidir le rudaí a phleanáil agus a dhéanamh réidh?
6 Cad chuige nach mbeadh seicleabhar de dhíth ar Úna?
7 Cad é mar a rinne Úna cinnte de nach mbeadh uirthi deireadh luath ná tobann a chur lena folcadh?
8 An raibh sé ar intinn ag Úna bricfeasta gasta a bheith aici?
9 Cad é a bheadh le hithe ag Úna lena bricfeasta?
10 Cad é an t-ábhar léitheoireachta a bhí Úna ag brath a thabhairt léi don eitilt?
11 Cad é an modh taistil a bheadh ag Úna le dhul a fhad leis an aerfort?
12 An raibh sí ag súil le bheith ag an aerfort roimh leath i ndiaidh a naoi?
13 Cé a bhí le bheith ag stopadh i dteach Úna i rith an tsamhraidh?
14 Cá mhéad airgid a bheadh le híoc ag lóistéir Úna as an dá mhí?
15 An raibh gealltanas ar bith le tabhairt ag an lóistéir d'Úna?
16 Cén séasúr den bhliain a raibh Úna ag imeacht ar saoire ann?
17 Cad é an post atá ag Úna?
18 Cá huair a phillfeadh Úna ar a cuid oibre?
(= Cathain a d'fhillfeadh Úna ar a cuid oibre?)
19 Cad é mar a gheobhadh an lóistéir an eochair do theach Úna?

Roinn B

1 Scríobh ar dhóigh eile na codanna a bhfuil líne fúthu sna habairtí seo a leanas. Bain úsáid as focail atá sa tsliocht thuas:

1 Bhí mé <u>ag brath</u> dhul amach nuair a cuireadh scairt ghutháin orm.

2 Caithfidh mé thart fá <u>ocht seachtaine</u> sa Fhrainc an samhradh seo.
3 Bíonn <u>spórt</u> mór againn ag caint le Síle.
4 Bhí <u>deifre mhór</u> ar thiománaí an tacsaí.
5 Dúirt Seán <u>nár mhaith</u> leis barraíocht ama a chaitheamh thar lear.
6 Bíonn <u>strus</u> mór ag baint le pacáil.
7 An bhfuil an obair <u>déanta</u> agat go fóill?
8 Níl <u>cuma néata</u> ar an deasc seo, mar tá páipéir scaptha thart achan áit uirthi.
9 <u>D'éirigh liom</u> mo chuid pacála a chríochnú aréir.
10 <u>An bhfeileann</u> na dátaí sin duit maith go leor?
11 Níl dúil dá laghad agam i rac-cheol, is fearr i bhfad liom <u>ceol suaimhneach</u>.
12 Bhí am ar dóigh aige <u>agus é</u> ag taisteal ar fud an domhain.
13 Ní fhaca mé <u>neach beo</u> san áit uaigneach seo le dhá lá anuas.
14 <u>Ní chuirfidh</u> an mí-eagar <u>as do</u> mo chara ar chor ar bith.
15 <u>Is aoibhinn liom</u> an taisteal.
16 <u>Ba cheart</u> duit smaoineamh ar scíste a bheith agat an samhradh seo.
17 <u>Réiteofaí an deacracht</u> sin dá bpléifí go ciallmhar í.
18 An duine é <u>a dtig bheith ag brath air</u>?

2 Cuir gach briathar a bhfuil líne faoi sna sleachta seo a leanas san aimsir ghnáthláithreach:

i) <u>Tháinig</u> aoibh ar ghnúis Úna Nic an Bhaird nuair a <u>mhúscail</u> sí.
ii) Ach <u>ní bheadh</u> driopás uirthi ag éirí di. <u>Níorbh</u> eagal di.
iii) <u>D'éireodh</u> Úna agus <u>bheadh</u> folcadh deas aici a <u>mhairfeadh</u> leathuair. Ina dhiaidh sin, <u>shiúlfadh sí</u> isteach sa chistin agus <u>ghlacfadh sí</u> a cuid ama lena bricfeasta. <u>Bhí</u> gach ní a <u>bheadh</u> ag teastáil uaithi leagtha amach ar an tábla aici.

3 Athraigh na habairtí seo a leanas de réir mar atá léirithe sa tsampla thíos:

m.sh. <u>Leag mé</u> gach rud amach. ➤ Bhí gach rud leagtha amach agam.

a) <u>Phacáil mé</u> na cásanna.
b) <u>Níor ith siad</u> a mbricfeasta go fóill.

c) D'ólfadh sí a caife sula dtiocfadh an tacsaí.
d) Cheannaigh muid cúpla leabhar don turas eitleáin.

4 Líon an bhearna i ngach ceann de na habairtí seo a leanas le focal cuí as an téacs:

1 Ní maith liom nuair nach nglacaim cithfholcadh i ndiaidh mé a bheith ar an trá mar go mbíonn gráinníní beaga de __________ idir mo ladhracha.
2 Fuair mé litir ó Sheán sa ___________ thiar thall!
3 Ní bheidh ár ___________ arís ann.
4 Chuala mé ceoltóir deas ar an raidió inné agus chuaigh mé síos go lár na cathrach an chéad rud ar maidin gur cheannaigh mé _____________ dá cuid.
5 Tá boladh _____________ as na bláthanna sin.
6 Ní raibh a fhios ag Seán an mbeadh sé saor ón obair an tseachtain sin, caithfidh sé na dátaí a ___________ ina dhialann.
7 Meastar gurb é *An Druma Mór* an _________ is conspóidí a scríobh Seosamh Mac Grianna.
8 Nuair a bhí muid sa Spáinn bhíodh _________ againn ar an trá achan uile oíche.

5 Déan cur síos ar na foirmeacha de na briathra a leanas a bhfuil líne fúthu.

m.sh. *glanann sé* = an tríú pearsa fhirinscneach, uimhir uatha, (foirm neamhspleách) den aimsir ghnáthláithreach den bhriathar *glan/glanadh*.

(a) nuair a mhúscail sí…
(b) beidh tú
(c) bheadh sí….
(d) Níorbh eagal di …
(e) D'íosfadh sí
(f) an caife sin a ceannaíodh di
(g) Bhíodh Sally de shíor
(h) sáraíodh an fhadhb bheag sin

6 Déan cur síos ar thuiseal, uimhir, dhíochlaonadh agus inscne na n-ainmfhocal a leanas a bhfuil líne fúthu.

m.sh. *lár an bhóthair* = an tuiseal ginideach, uimhir uatha, den ainmfhocal *bóthar*, an chéad díochlaonadh, firinscneach.

(a) ón am seo
(b) A Úna, a thaisce,
(c) an cineál sin saoil
(d) Bhí an t-arbhar amuigh
(e) seilf uachtair an chuisneora
(f) piollaí taistil

Roinn C

Saorchumadóireacht

Tabharfar marcanna níos airde dóibh siúd a bhainfeas úsáid as a gcuid focal féin in áit frásaí nó téarmaíocht a bhaint amach as an tsliocht thuas.

i) Scríobh cúig abairt (nó thart fá 50 focal) fán tábhacht atá ag baint le laethanta saoire agus/nó le saol taobh amuigh de do shaol oibre.

ii) Scríobh cúig abairt (nó thart fá 50 focal) fá na laethanta ab fhearr saoire (nó na laethanta a ba mheasa saoire) dá raibh riamh agat.

Shín an príomhoide clúdach donn chuig Micheál.

Aistriúchán agus triail tuigbheála 11

(i) Aistrigh an sliocht a leanas go Béarla.

Codladh corrach Mhicheáil Uí Ghallchóir

Bhí Micheál Ó Gallchóir thar a chodladh an oíche áirithe seo mar, cé go ndeachaigh sé a luí trí huaire go leith roimhe sin, níor chodail sé a oiread agus bomaite amháin le linn an ama sin. Bhí an teach iontach ciúin agus chuala sé an clog mór thíos an staighre sa halla á bhualadh. Chuntais sé na buillí: a haon, a dó, a trí. 'A Rí na glóire,' ar seisean leis féin, 'tá sé a trí a chlog agus níor dhruid mé súil go fóill!'

D'éirigh sé ansin, chuaigh síos chuig an chistin agus théigh cupa bainne dó féin. Nuair a bhí an braon deireanach den bhainne ólta aige, suas an staighre leis arís agus i gceann dheich mbomaite bhí sé ina chnap codlata. Ní as a stuaim féin a mhúscail sé ar maidin ar chor ar bith. B'éigean dá mháthair cnag a bhualadh ar dhoras a sheomra leapa. 'A Mhicheáil, a mhic, bí i do shuí nó beidh Seán Ó Briain anseo am ar bith feasta.'

Ba leor sin do Mhicheál. Phreab sé amach as a leaba agus chaith air a chuid éadaigh faoi dheifre. Níorbh fhada ina dhiaidh sin gur chuala sé seancharr Sheáin Uí Bhriain ag dul thart leis an teach. D'aithin Micheál nach mbeadh faill aige greim bídh féin a fháil - ach ba chuma, bhí torthaí na scrúduithe ag fanacht leo sa choláiste agus ní thiocfadh le Micheál moill ar bith a dhéanamh. Chaithfeadh sé theacht gan bhricfeasta. B'fhuath leis gurbh éigean dó fanacht dhá mhí fhada leis na torthaí seo - dhá mhí ab fhaide ná an tsíoraíocht, dar leis. Amach as an teach leis (agus a bhróga ar iompar ina láimh aige!), síos an cosán agus isteach sa charr.

'Bhuel, a dhiúlaigh,' arsa a chara Brian go neamhbhuartha leis, 'isteach linn chun an choláiste anois go bhfaighimid an drochscéala.' Ní bhíodh sórt ar bith, dá olcas é, ag cur imní ar Sheán Ó Briain in am ar bith. Duine aerach a bhí ann nárbh fhéidir cur isteach air.

Deich mbomaite ina dhiaidh sin, bhí Micheál agus Seán ina rith thart le hoifig an rúnaí agus suas leo go dtí halla mór na scoile. Baineadh stad astu ag teacht go doras an halla mhóir dóibh, toisc go raibh cúpla múinteoir ina seasamh ansin. Bhí a fhios ag Micheál agus ag Seán araon go raibh cosc le rith i bpasáistí na scoile. Bhí tábla fada i lár an halla agus shiúil Micheál suas go faiteach fadálach a fhad leis. Shín an príomhoide clúdach donn chuig Micheál. Bhí croí Mhicheáil ag preabadaigh agus crith ar a láimh ag an phointe sin.

'Ná bíodh eagla ar bith ort, a Mhic Uí Ghallchóir,' arsa an príomhoide agus aoibh air ó chluais go cluais, 'd'éirigh thar barr leat.'

(ii) Léigh an sliocht thuas arís agus freagair na ceisteanna thíos.

Roinn A

Tabharfar níos mó marcanna dóibh siúd a fhreagróidh na ceisteanna ina bhfocail féin in áit a bheith ag baint frásaí nó téarmaí go díreach amach as an tsliocht.

1 An raibh deacracht ag Micheál dhul a chodladh an oíche áirithe sin?
2 Cad é an t-am a ndeachaigh Micheál a luí a chéaduair?
3 Cad é a chuidigh leis dhul a chodladh sa deireadh, dar leat?

4 An mbeadh Micheál ina shuí in am dá chomrádaí Seán murab é gur scairt a mháthair air?
5 Ar bhain sé i bhfad as Micheál éirí nuair a chuala sé glór a mháthar?
6 Ar mhiste le Micheál bheith ag fanacht le torthaí na scrúduithe?
7 An raibh Micheál gléasta mar is ceart ag teacht amach as an teach dó?
8 Cad é an modh taistil a bhí ag Micheál leis an coláiste a bhaint amach?
9 An raibh Seán Ó Briain ag dréim le dea-scéala a fháil?
10 An raibh Seán neirbhíseach fá na torthaí?
11 An í rúnaí na scoile a thug a thorthaí do Mhicheál?
12 An raibh cead reatha ag na scoláirí taobh istigh d'fhoirgneamh na scoile?
13 An raibh fearg ar an phríomhoide leis an Ghallchóireach?
14 Cad é mar a chuir an príomh-mhúinteoir Micheál ar a shuaimhneas sular thug sé an litir dó?
15 An mbeadh faoiseamh ar Mhicheál nuair a d'osclódh sé an litir, i do bharúil?

Roinn B

1 Scríobh ar dhóigh eile na codanna a bhfuil líne fúthu sna habairtí seo a leanas. Bain úsáid as focail atá sa tsliocht thuas:

1 Bhí siad <u>ó chodladh na hoíche</u> aréir.
2 Is breá liom amharc ar scannáin, <u>go mórmhór</u> cinn ghreannmhara.
3 Chaith mé sé phunt is <u>caoga</u> <u>pingin</u> ar bhia sa tsiopa.
4 An bhfaighidh tú seans dhul chun na Gaeltachta <u>i rith</u> an tsamhraidh?
5 Ar <u>mhothaigh</u> tusa an scéal sin fosta?
6 Ní raibh a oiread agus <u>deoir</u> bhainne sa teach.
7 B'fhearr le Síle an obair a dhéanamh <u>go neamhspleách</u>.
8 <u>Bhí orm</u> siúl isteach chun na scoile.
9 Bhuail sé <u>buille</u> ar an doras.
10 Ní raibh Seán ag súil leis na torthaí a fháil go díreach <u>ag an am</u> sin.
11 <u>Bhí mionghháire mór ar aghaidh</u> an rúnaí.

12 Cuireadh deireadh tobann le mo chuid rásaíochta nuair a chonaic mé an madadh mór fíochmhar ina sheasamh os mo choinne.
13 Ní ceadmhach peil a imirt anseo!
14 Cad é mar a bhí an damhsa aréir? Bhí sé ar fheabhas.

2 Cuir gach briathar a bhfuil líne faoi sa tsliocht seo a leanas san aimsir fháistineach:

Chuaigh Micheál isteach sa halla. Bhí tábla fada ina lár agus shiúil Micheál suas a fhad leis. Shín an príomhoide clúdach donn chuig Micheál. Bhí croí Mhicheáil ag preabadaigh. D'oscail sé an litir agus léigh na gráid. Léim sé san aer le tréan lúcháire.

3 Cuir na codanna a bhfuil líne fúthu sna habairtí seo a leanas san uimhir iolra:

i) Bhí an teach iontach ciúin.
ii) Duine aerach a bhí ann.
iii) Bhíodh an rúnaí i gcónaí istigh san oifig.
iv) Bhí an clúdach ina luí ar an tábla.

4 Líon an bhearna i ngach ceann de na habairtí seo a leanas le focal cuí as an téacs:

1 Ná lig a oiread agus focal _______ do bhéal fán rud a dúirt mé leat.
2 Tiocfaidh na torthaí amach ___ ____________ seachtaine.
3 An as a _________ féin a rinne sé é nó an é rud a mhol duine inteacht eile dó é a dhéanamh?
4 Ba cheart go mbeadh na daoine eile anseo am ar bith ________.
5 Ní itheann sé ach bia folláin ag am lóin, glasraí, _________ agus rudaí mar sin.
6 Cuireadh ____________ orm sa trácht agus bhí mé mall ag an chruinniú.
7 Ní bheidh tú ábalta todóg a chaitheamh sa bhialann seo ar an ábhar go bhfuil _________ ar thobac.
8 D'aithin an príomhoide go raibh eagla ar an dalta ar an ábhar go raibh _________ ar a ghlór nuair a labhair sé.

5 Déan cur síos ar na foirmeacha de na briathra a leanas a bhfuil líne fúthu.

m.sh. *glanann sé* = an tríú pearsa fhirinscneach, uimhir uatha, (foirm neamhspleách) den aimsir ghnáthláithreach den bhriathar *glan/glanadh*.

(a) chuala sé
(b) tá sé
(c) níor dhruid mé
(d) bí i do shuí
(e) Níorbh fhada ina dhiaidh sin
(f) chaithfeadh sé
(g) ní bhíodh sórt ar bith
(h) Baineadh stad astu

6 Déan cur síos ar thuiseal, uimhir, dhíochlaonadh agus inscne na n-ainmfhocal a leanas a bhfuil líne fúthu.

m.sh. *lár an bhóthair* = an tuiseal ginideach, uimhir uatha, den ainmfhocal *bóthar* an chéad díochlaonadh, firinscneach.

(a) le linn an ama sin
(b) thíos an staighre
(c) Chuntais sé na buillí
(d) ina chnap codlata
(e) 'Bhuel, a dhiúlaigh,
(f) sa choláiste

Roinn C

Saorchumadóireacht

Tabharfar marcanna níos airde dóibh siúd a bhainfeas úsáid as a gcuid focal féin in áit frásaí nó téarmaíocht a bhaint amach as an tsliocht thuas.

i) Scríobh cúig abairt (nó thart fá 50 focal) fán lá ab fhaide nó a ba neirbhísí a bhí riamh agat.

ii) Dá mbeifeá i d'Aire Oideachais scríobh cúig abairt (nó thart fá 50 focal) fán dóigh a gcuirfeá feabhas ar ghné amháin (nó ar chúpla gné) den chóras oideachais.

Bhí muga tae ina láimh aige, nuachtán ar a ghlúin agus bhí cluiche maith peile á chraoladh ar an teilifís.

Aistriúchán agus triail tuigbheála 12

(i) Aistrigh an sliocht a leanas go Béarla.

Cormac Ó Cnáimhsí, ar a sháimhín só?

Bhí Cormac Ó Cnáimhsí ina shuí ar an tolg ina theach féin agus é ar a sháimhín suilt. Bhí an teach faoi féin, gan aon duine le cur chuige ná uaidh. Is annamh a bhí áiméar aige a scíste a ligint go huile is go hiomlán. Bhí Mollie, a bhean chéile, ar shiúl chuig a rang yóga agus bhí a bheirt mhac amuigh ag imirt peile. Bhí sé sna flaithis! Bhí muga tae ina láimh aige, nuachtán ar a ghlúin agus bhí cluiche maith peile á chraoladh ar an teilifís. Thar aon rud eile, bhí a fhoireann féin trí chúl chun tosaigh agus gan fágtha den chluiche ach dhá bhomaite. 'Nár dheas an rud é,' ar seisean leis féin, 'dá mairfeadh an suaimhneas mar seo go deo?'

Ach sin rud amháin nach raibh i ndán do Chormac. Go gairid ina dhiaidh sin, ar bhuille a naoi a chlog san oíche, bhuail an guthán. D'fhreagair Cormac é agus d'aithin sé cé a bhí ann ar an toirt. Is í a iníon Peigí a bhí ann.

'Ó, a athair,' ar sise, 'goitse go gasta, tá cuidiú de dhíth orm. Bhí Ciarán s'againne in ainm is a bheith sa bhaile ceithre huaire an chloig ó shin ach níl iomrá ar bith go fóill air, agus leis an fhírinne a dhéanamh tá mé ag éirí rud beag imníoch fá dtaobh de. Ní scairtfinn ort ach ab é go bhfuil Séamas ag obair mall anocht agus nach dtig liom an ceathrar páiste eile a fhágáil sa teach leo féin. Tá sé i bhfad rófhuar le iad a thabhairt amach mar tá slaghdán trom ar an leanbh bhocht agus d'iarr an dochtúir orm gan í a ligint thar an tairseach go ceann seachtaine.

'Ná bí buartha, a Pheigí, a chuid. Caithfidh mé orm mo bhróga agus rachaidh anonn go teach Uí Cheallaigh. Ní bheidh mé ach bomaite beag bídeach. Bíodh geall gurb é sin an áit a bhfuil sé. Bíonn sé de nós aige imeacht síos ansin i ndiaidh na scoile. Tá a fhios agat féin an dóigh a mbíonn na gasraí sin, aon uair amháin a thosaíonn siad ar na cluichí ríomhaireachta seo ní smaoiníonn siad ar a dhath eile ach orthu sin. I gcás ar bith, tá barúil láidir agam gur ansin atá Ciarán, mar chonaic mé ag dul isteach le Brian Ó Ceallaigh é ag siúl ar ais ó mo chuid oibre domh ag am tae tráthnóna. Bhéarfaidh mé síob abhaile dó sa charr.'

'Go raibh míle maith agat, a athair,' arsa Peigí 'ó, agus achainí bheag amháin eile ort, an mbeifeá ábalta stopadh ag an gharáiste, ar do bhealach go dtí an teach s'agamsa agus pionta bainne, builbhín aráin agus paicéad brioscaí a cheannacht domh?'

(ii) Léigh an sliocht thuas arís agus freagair na ceisteanna thíos.

Roinn A

Tabharfar níos mó marcanna dóibh siúd a fhreagróidh na ceisteanna ina bhfocail féin in áit a bheith ag baint frásaí nó téarmaí go díreach amach as an tsliocht.

1 An ina shuí ar chathaoir a bhí Cormac Ó Cnáimhsí?
2 An raibh móran ag cur as do Chormac agus é ina shuí mar sin?
3 Cé a bhí sa teach ina chuideachta?
4 An mbíodh mórán de dheis ag Cormac suaimhneas mar seo a fháil sa teach?
5 An raibh an fhoireann peile a raibh Séamas i bhfách leo ag baint?

6 Ar bhain sé i bhfad as Séamas a aithint cé a bhí ag caint leis ar an ghuthán?
7 Cad é an t-am a raibh Peigí ag súil le Ciarán a bheith sa bhaile?
8 Cad chuige nach dtiocfadh le Peigí an teach a fhágáil?
9 Cá mhéad páiste ar fad atá ag Peigí?
10 Cad é an chomhairle a thug an dochtúir do Pheigí maidir leis an pháiste is óige sa teaghlach?
11 Cad é a bhí ar an leanbh?
12 Cad é a bhéarfadh (= a thabharfadh) le fios duit nach raibh teach Uí Chnáimhsí i bhfad ó theach Uí Cheallaigh?
13 An gcaitheadh na buachaillí óga seo mórán ama ag súgradh ag an eochairchlár?
14 Cad é a thug ar a sheanathair a shílstean go raibh Ciarán i dteach Bhriain Uí Cheallaigh?
15 Cad é an dara gar a d'iarr Peigí ar a hathair?
16 Cad é na hearraí a bhí de dhíth ar Pheigí as an gharáiste?

Roinn B

1 Scríobh ar dhóigh eile na codanna a bhfuil líne fúthu sna habairtí seo a leanas. Bain úsáid as focail atá sa tsliocht thuas:

1 Bím <u>ar mo shuaimhneas</u> ag an rang yóga.
2 An raibh <u>duine ar bith eile leat</u> sa teach aréir?
3 <u>Ní minic</u> a théann sé amach.
4 B'fhearr an litir sin a scríobh anois mar ní bheidh <u>seans</u> agat í a scríobh ar ball.
5 Impím ort, <u>os ceann gach uile ní</u>, gan sin a rá le duine ar bith eile!
6 Mairfidh an Ghaeilge <u>go brách</u>.
7 Fan bomaite, le do thoil, agus bhéarfaidh mé (= tabharfaidh mé) an uimhir duit <u>lom láithreach</u>.
8 <u>Tar</u> isteach agus suigh síos go bhfaighe tú cupa beag tae.
9 Níor inis sé rud ar bith dúinne <u>mar gheall air</u>.
10 Bhí <u>ulpóg</u> orm anuraidh agus bhí mé fada go leor ag fáil réitithe di.
11 <u>Ná bíodh imní ort</u> fá na páistí, tógfaidh mise i ndiaidh na scoile iad.
12 <u>Tá mé cinnte</u> gurb é sin an fear a bhain an Crannchur Náisiúnta.

13 Níl faic le déanamh agam.
14 An dtiocfadh leat gar a dhéanamh domh, le do thoil?
15 Chonaic mé Seán ar mo shlí amach as an phictiúrlann.

2 Cuir gach briathar a bhfuil líne faoi sna sleachta seo a leanas sa mhodh choinníollach:

i) Bhí an teach faoi féin, gan duine ar bith le cur chuige ná uaidh. Is annamh a bhí áiméar aige a scíste a ligint go huile is go hiomlán.

ii) Tá a fhios agat féin an dóigh a mbíonn na gasraí sin, an uair amháin a thosaíonn siad ar na cluichí ríomhaireachta seo ní smaoiníonn siad ar a dhath eile ach orthu sin.

3 Cuir na codanna a bhfuil líne fúthu sna habairtí seo a leanas san uimhir iolra:

a) Bhí muga tae ina láimh aige, nuachtán ar a ghlúin agus bhí cluiche maith peile á chraoladh ar an teilifís.
b) Tá slaghdán trom ar an leanbh bhocht.
c) Tá barúil láidir agam.
d) pionta bainne, builbhín aráin agus paicéad brioscaí

Cuir na codanna a bhfuil líne fúthu den abairt seo a leanas san uimhir uatha:

a) Tá a fhios agat féin an dóigh a mbíonn na gasraí sin, aon uair amháin a thosaíonn siad ar na cluichí ríomhaireachta seo ní smaoiníonn siad ar a dhath eile ach orthu sin.

4 Líon an bhearna i ngach ceann de na habairtí seo a leanas le focal cuí as an téacs:

1) Más mian leat luí síos gabh suas chuig do sheomra leapa ach ná bí i do luí ar an __________, tá barraíocht daoine sa tseomra suí.
2) An rud is ______________ is iontach.
3) Tá sibh go maith ____ _________ leis an phéinteáil.
4) Is teann gach madadh ar a ______________ féin.

5) Gabhaigí mo leithscéal, tá mé ___________ as bheith mall.
6) Chuir sé deich bpunt ar chapall ach chaill sé an ____________.
7) Ar mhaith leat clárú do chúrsa ________________?
8) Gabh mo leithscéal ach ní thig liom an scáileán a fheiceáil, tá do cheann sa ___________ agam. Ar mhiste leat do stól a bhogadh i leataobh, le do thoil?

5 Déan cur síos ar na foirmeacha de na briathra a leanas a bhfuil líne fúthu.

m.sh. glanann sé = an tríú pearsa fhirinscneach, uimhir uatha, (foirm neamhspleách) den aimsir ghnáthláithreach den bhriathar *glan/glanadh*.

(a) Is í a iníon ...
(b) Ní scairtfinn ort ...
(c) Ná bí buartha
(d) caithfidh mé orm mo bhróga
(e) ní smaoiníonn siad
(f) chonaic mé
(g) An mbeifeá ábalta?
(h) Bhéarfaidh mé = Tabharfaidh mé

6 Déan cur síos ar thuiseal, uimhir, dhíochlaonadh agus inscne na n-ainmfhocal a leanas a bhfuil líne fúthu.

m.sh. *lár an bhóthair* = an tuiseal ginideach, uimhir uatha, den ainmfhocal *bóthar*, an chéad díochlaonadh, firinscneach.

(a) Bhí an teach faoi féin
(b) a bheirt mhac
(c) ag imirt peile
(d) Ó, a athair
(e) ag an gharáiste
(f) builbhín aráin

Roinn C

Saorchumadóireacht

Tabharfar marcanna níos airde dóibh siúd a bhainfeas úsáid as a gcuid focal féin in áit frásaí nó téarmaíocht a bhaint amach as an tsliocht thuas.

i) Scríobh cúig abairt (nó thart fá 50 focal) fá na buntáistí agus fá na míbhuntáistí a bhaineas leis an ghuthán sa tsaol chomhaimseartha.

ii) Cuir i gcás gur tuismitheoir thú agus go mbeadh páiste leat (atá dhá bhliain déag d'aois) as baile go meán oíche gan a inse duit roimh ré. Cum sé cheist a chuirfeá air/uirthi.

Sa deireadh, chuir Peadar an scéal chun tosaigh ar a bhean:

Aistriúchán agus triail tuigbheála 13

(i) Aistrigh an sliocht a leanas go Béarla.

Turas go Learpholl, cuid a haon

Bhí Peadar ag brath bronntanas breithlae a mholadh do Chonall, an páiste is sine a bhí aige féin agus ag Máire. Bheadh Conall trí bliana déag ar an aonú lá is fiche de Mhí Mhárta agus ba mhian le Peadar é a thabhairt ar turas go cluiche peile i Sasain. Le fírinne, bhí an smaoineamh seo ag fabhrú ina cheann le cúpla mí anuas ach bhí roinnt eolais de dhíobháil ar Pheadar maidir le costas, taisteal agus ticéid. Fuair sé a raibh d'eolas uaidh óna chomhghleacaí Ken, nó bhí Ken ina rúnaí ar Chumann Bhéal Feirste de Lucht Tacaíochta Learphoill.

(h)Insíodh do Pheadar go raibh an bus chóir a bheith lán ach go raibh cúpla áit ar fáil dó féin agus do Chonall dá mba mhian leo dhul chuig an chluiche idir Learpholl agus an Caisleán Nua, Dé Sathairn an ceathrú lá is fiche de Mhí Mhárta. Gheobhadh siad (= Gheobhaidís) bád ó Bhéal

Feirste go Learpholl ar a trí agus, sé huaire an chloig ina dhiaidh sin, thiocfadh an soitheach isteach go cé Learphoill. Bheadh cóiste ag fanacht leo ag na duganna agus bhéarfadh sé (= thabharfadh sé) go hóstán thrí réalta iad. D'fhanfadh siad (= D'fhanfaidís) san óstán - atá suite ar imeall na cathrach - agus bheadh dinnéar acu an oíche sin ann agus bricfeasta an lá arna mhárach.

Fuarthas cead speisialta don ghrúpa dhul isteach go hAnfield ar leath i ndiaidh a haon déag maidin Dé Sathairn. Bheadh turas acu thart ar na seomraí gléasta, ar pháirc na himeartha agus ar sheomra na dtrófaithe. Thaispeánfaí fístéip dóibh ar stair na foirne (a mhairfeadh uair an chloig) agus, nuair a bheadh an scannán thart, bhí beartaithe acu lón a chaitheamh i mBialann na Stiúrthóirí agus bheadh bainisteoir agus captaen na foirne mar aíonna speisialta ag tús na proinne.

Bhí céad ochtó punt ar an turas seo do dhuine fásta agus céad is daichead punt do pháiste faoi ocht mbliana déag. Sa deireadh, chuir Peadar an scéal chun tosaigh ar a bhean: 'A mhuirnín,' ar seisean go síodúil, 'tá moladh agam do bhreithlá Chonaill.'

'Abair leat, a Pheadair, tá mé ag éisteacht,' arsa Máire, agus shuigh sí síos os a chomhair.

Thosaigh sé gur inis sé an scéal ina iomláine di. Níor labhair Máire go raibh deireadh ráite aige agus níorbh fhurasta a aithint ar a gnúis cé acu i bhfabhar nó i gcoinne an phlean seo a bhí sí.

(ii) Léigh an sliocht thuas arís agus freagair na ceisteanna thíos.

Roinn A

Tabharfar níos mó marcanna dóibh siúd a fhreagróidh na ceisteanna ina bhfocail féin in áit a bheith ag baint frásaí nó téarmaí go díreach amach as an tsliocht.

1 Cad é an ócáid a bhí Peadar ag dul a cheiliúradh leis an bhronntanas seo?
2 An é Conall an duine clainne is sine atá ag Peadar agus Máire?
3 Cuntais siar ó Mhárta na bliana seo agus oibrigh amach cén bhliain ar rugadh Conall.

4 Cad é an lá sa bhliain ar a mbíonn do bhreithlá féin?
5 Cá fhad a bhí Peadar ag smaoineamh ar an phlean seo?
6 Ar thug Ken a sháith eolais do Pheadar?
7 Cad é mar a léiríonn an téacs go raibh Peadar agus Ken ag obair i gcuideachta a chéile?
8 Cad é an bhaint a bhí ag Ken le Cumann Bhéal Feirste de Lucht Tacaíochta Learphoill?
9 Cad é mar atá a fhios againn nach raibh mórán suíochán fágtha ar an bhus fán am ar labhair Peadar le Ken?
10 Cén dá fhoireann a bheadh ag imirt sa chluiche a raibh siad ag dul chuige?
11 Cén lá den tseachtain a raibh breithlá Chonaill an bhliain áirithe seo?
12 Cad é an modh taistil a bheadh acu le dhul ó Bhéal Feirste go Learpholl?
13 Cad é an t-am a dtiocfadh an bád isteach go Learpholl an oíche sin?
14 Cad é mar a bhainfeadh siad (= bhainfidís) an t-óstán amach?
15 An i lár na cathrach a bhí an t-óstán seo suite?
16 Cad é na béilí a d'íosfadh siad (= a d'íosfaidís) san óstán?
17 Cad é a bheadh le feiceáil ag baill Chumann Bhéal Feirste de Lucht Tacaíochta Learphoill in Anfield roimh an fhístéip?
18 Cad é an t-ábhar a phléifí ar an fhístéip?
19 Dá dtosódh an scannán ar leath i ndiaidh a dó dhéag cad é an t-am a mbeadh sé thart?
20 Cá háit a bhfaigheadh siad a lón? (= Cá bhfaighidís a lón?)
21 Cé a bheadh leo mar aíonna speisialta an lá seo ag tús an lóin?
22 Cá mhéad, san iomlán, a d'íocfadh Peadar as an turas?
23 Ar lig Máire do Pheadar an scéal uilig a inse sular thug sí freagra air?
24 An dtiocfadh le Peadar a thomhas ó aghaidh Mháire cé acu sásta nó míshásta a bhí sí leis an mholadh seo?

Roinn B

1 Scríobh ar dhóigh eile na codanna a bhfuil líne fúthu sna habairtí seo a leanas. Bain úsáid as focail atá sa tsliocht thuas:

1 Níl mé <u>fá choinne</u> dhul amach anocht. Sílim go bhfanfaidh mé istigh.

2 Níor mhiste leis dhul chuig an chluiche.
3 Is iomaí smaoineamh a ritheann fríd m'intinn ag an am seo den bhliain.
4 Tá rud beag airgid aige ach níl mórán.
5 Bhí cuidiú de dhíth uirthi.
6 Dúradh le Máire go raibh cruinniú le bheith ann Dé Domhnaigh seo chugainn.
7 Tá sé beagnach réidh leis an nuachtán.
8 Is iomaí long a raibh an seanmhairnéalach sin uirthi.
9 Shuigh muid síos ar bhruach na habhann agus bhí picnic dheas againn.
10 An stopfá thar oíche i Londain? Stopfainn. (*nó* Stopfadh).
11 Thángthas ar ór in Alasca sa naoú céad déag.
12 Níor bhain an peileadóir sin bonn ná corn riamh ina shaol spóirt.
13 Shéid an réiteoir a fheadóg lena chur in iúl don tslua go raibh deireadh leis an chluiche.
14 An bhfuil sé socraithe agaibh dhul áit ar bith ar bhur laethanta saoire i mbliana?
15 D'ith muid dinnéar ar dóigh san óstán sin aréir.
16 Chosain an ticéad fiche punt.
17 Cad é mar atá tú, a thaisce?
18 Labhair go séimh leo agus bhéarfaidh siad (= tabharfaidh siad) éisteacht mhaith duit.

2 Cuir gach briathar a bhfuil líne faoi sna sleachta seo a leanas san aimsir fháistineach:

i) (h)Insíodh do Pheadar go raibh an bus chóir a bheith lán ach go raibh cúpla áit ar fáil dó féin agus do Chonall dá mba mhian leo dhul chuig an chluiche.

ii) Thiocfadh an soitheach isteach go dtí an ché agus thabharfadh cóiste go dtí an t-óstán iad. D'fhanfaidís san óstán agus d'íosfaidís dinnéar breá ann.

iii) Thosaigh sé gur inis sé an scéal ina iomláine di. Níor labhair Máire go raibh deireadh ráite aige.

3 Cuir na codanna a bhfuil líne fúthu sna habairtí seo a leanas san uimhir iolra:

a) Bhí an smaoineamh seo ag fabhrú ina cheann le cúpla mí anuas.
b) Fuair sé a raibh d'eolas uaidh óna chomhghleacaí.
c) Fuarthas cead speisialta don ghrúpa dhul isteach sa tseomra.
d) Bhí céad ochtó punt ar an turas seo do dhuine fásta agus céad is daichead punt do pháiste.

4 Líon an bhearna i ngach ceann de na habairtí seo a leanas le focal cuí as an téacs:

1 Go raibh míle maith agaibh. Seo an _________ is fearr a tugadh riamh domh.
2 Deir siad go bhfuil an _________ searbh ach, creid mise, ní searbh atá sí ach garbh agus sin an fáth a seachantar í.
3 Tar _________ den bhalla sin! Níl cead ag duine ar bith dhul suas air.
4 Ar labhair an príomhoide leat go fóill __________ leis na torthaí?
5 Ní choinníonn an ______________ ach a lán.
6 Is ócáid an-___________ í seo dúinn agus coinneoimid cuimhne ar an chuairt seo go deo.
7 Bhí Pádraig ___________ go hinnealta aréir: bhí léine lín, carbhat síoda, culaith nua agus péire úr bróg air.
8 Beidh __________ linn mura mbí muid ar ais in am don dinnéar.

5 Déan cur síos ar na foirmeacha de na briathra a leanas a bhfuil líne fúthu.

m.sh. *glanann sé* = an tríú pearsa fhirinscneach, uimhir uatha, (foirm neamhspleách) den aimsir ghnáthláithreach den bhriathar *glan/glanadh*.

(a) fuair sé
(b) (h)Insíodh do Pheadar
(c) Gheobhadh siad (= Gheobhaidís)
(d) Fuarthas cead speisialta
(e) Thaispeánfaí fístéip
(f) Abair leat
(g) shuigh sí síos
(h) níorbh fhurasta a aithint

6 Déan cur síos ar thuiseal, uimhir, dhíochlaonadh agus inscne na n-ainmfhocal a leanas a bhfuil líne fúthu.

m.sh. *lár an bhóthair* = an tuiseal ginideach, uimhir uatha, den ainmfhocal *bóthar*, an chéad díochlaonadh, firinscneach.

(a) bhí an smaoineamh seo
(b) san óstán
(c) Dé Sathairn
(d) ar sheomra na dtrófaithe
(e) stair na foirne
(f) a mhuirnín

Roinn C

Saorchumadóireacht

Tabharfar marcanna níos airde dóibh siúd a bhainfeas úsáid as a gcuid focal féin in áit frásaí nó téarmaíocht a bhaint amach as an tsliocht thuas.

i) Scríobh cúig abairt (nó thart fá 50 focal) fá ghné ar bith den spórt, mar shampla: do thaithí féin ar an spórt; an t-airgead agus an spórt; nó an spórt agus an teilifís.

ii) Scríobh cúig abairt (nó thart fá 50 focal) fán duine is mó ar mhaith leat bualadh leis/léi agus mínigh cad chuige ag cur síos ar na rudaí a ba mhaith leat a dhéanamh leis/léi.

Geall domh go gcoinneoidh tú greim daingean ar láimh Chonaill.

Aistriúchán agus triail tuigbheála 14

(i) Aistrigh an sliocht a leanas go Béarla.

Turas go Learpholl, cuid a dó: 'Ní shiúlfaidh tú choíche leat féin'

D'fhan Máire bomaite sular thug sí freagra ar Pheadar ach ba léir nach raibh sí ag dréim le moladh mar seo. Ba mhian le Peadar freagra gasta ar an scéal ach d'aithin sé go raibh a bhean idir dhá chomhairle. Ós mar sin a bhí, bhí Peadar sásta agus foighdeach go leor seans a thabhairt di a barúil a nochtadh ina ham féin. Thuigfeadh sé di mura mbeadh sí sásta. Nuair a bhí a machnamh déanta aici labhair sí:

'Níl mé iomlán cinnte fán mholadh seo, a Pheadair, a mhuirnín. Ní hé an t-airgead is mó atá ag cur isteach orm - cé go bhfuil pingin mhaith i gceist do dheireadh seachtaine. Bheinn imníoch fá Chonall a dhul ar bhus a mbeadh daoine ag ól agus ag stróiceadh na mionn mór air. Ní bheadh sé sin feiliúnach ar chor ar bith. B'fhearr i bhfad dó gan é. D'fhéadfadh sé drochnósanna a thógáil ar a leithéid de thuras.'

'Aontaím leat go huile is go hiomlán fá sin, a Mháire, ach ná bí buartha fá mhí-iompar ar bith ar an bhus,' arsa Peadar. 'D'fhiosraigh mé féin an pointe sin le Ken Thompson agus ní gá dúinn eagla dá laghad a bheith orainn fán ghné sin de, ó tharla gur turas ar leith atá ann. Reáchtálann an cumann turas speisialta teaghlaigh dhá uair in aghaidh na bliana. Páistí a bheas i leathchuid de na turasóirí. Tá William, an mac is óige ag Ken, ag dul ar an turas agus thig leis an bheirt acu suí le chéile. Bíonn coiste an chumainn an-chúramach agus an-righin fán ólachán agus fá mhúineadh a bheith ar na daoine a théann ar na turais teaghlaigh. Bíonn cosc ar ólachán agus bítear ag súil go dtaispeánfaidh gach duine fásta dea-shampla don óige. Caithfear amach as an chumann duine ar bith a bhriseann na rialacha sin. Is é Ken féin a thug an gealltanas sin domh.'

'Is breá liom sin a chluinstin agus molaim an coiste dá bharr. Ach tá rud eile le cur sa reicneáil. Bheadh orainn, ár mbeirt, rud inteacht a dhéanamh leis na páistí uilig ina dhiaidh seo mar is cinnte go mbeidh éad mór ar an triúr eile leis an deartháir is sine.'

'I dtaca leis sin de, a Mháire, fág fúmsa é. Má ligtear dúinn dhul ar an turas seo go Learpholl, geallfaidh mé duit go rachaimidne uilig suas go Baile Átha Cliath go Páirc an Chrócaigh i Mí Mheán an Fhómhair agus go mbeidh am ar dóigh againn.'

'Maith go leor, mar sin,' arsa Máire, 'ach geall domh go gcoinneoidh tú greim daingean ar láimh Chonaill agus nach ligfidh tú amach as do radharc é sa staidiam féin.'

'Geallaim sin duit ar mo bheo,' arsa Peadar, 'ach tá míbhuntáiste beag eile ag baint leis seo. Bheadh ar Chonall leathlá a ghlacadh saor ón scoil ar an Aoine.'

'Á, bhuel,' arsa Máire, 'ó loisc muid an choinneal loiscfimid an t-orlach.'

(ii) Léigh an sliocht thuas arís agus freagair na ceisteanna thíos.

Roinn A

Tabharfar níos mó marcanna dóibh siúd a fhreagróidh na ceisteanna ina bhfocail féin in áit a bheith ag baint frásaí nó téarmaí go díreach amach as an tsliocht.

1. Ar fhreagair Máire ceist Pheadair in áit na mbonn?
2. Ar tháinig an moladh seo aniar aduaidh uirthi?
3. An dtugann an téacs leid dúinn go raibh Peadar ag iarraidh freagra gasta ar a cheist?
4. Ar tugadh faill do Mháire an moladh seo a mheas?
5. Cad é a léiríonn nach raibh Máire iontach siúráilte fán phlean seo?
6. Ar shíl sí go raibh an turas measartha costasach?
7. Cad é an buaireamh a ba mhó a bhí uirthi?
8. Dá mba thusa máthair Chonaill, cad é an cinneadh a dhéanfá féin sa chás seo?
9. Cad é a thugann le fios gur phléigh Peadar cúrsaí iompair ar an turas le Ken?
10. Cá mhéad turas do pháistí in éineacht le daoine fásta a bheas ann gach bliain?
11. Má bhíonn ochtó turasóir ar fad ar an bhus cá mhéad páiste a bheas air?
12. Cé a bheas mar chomrádaí ag Conall ar an turas?
13. Cad é mar a fhéachann an coiste le hatmaisféar feiliúnach a chruthú do dhaoine óga ar na turais teaghlaigh?
14. Cad é a tharlóidh do bhall ar bith a bhrisfeas (= a bhrisfidh) rialacha an chumainn maidir le dea-iompar agus le dea-shampla a thabhairt don óige?
15. Cad é mar a léirigh Máire go raibh sí sásta le coiste an chumainn fá na rialacha seo?
16. Cad é an t-ábhar imní a bhí ar Mháire fán chuid eile de na páistí sa teaghlach?
17. Cá mhéad páiste ar fad atá ag Peadar agus Máire?
18. Cad é an cúiteamh a bhí beartaithe ag Peadar don chuid eile den teaghlach dá ligfí dó féin agus do Chonall dhul go Learpholl?
19. Cad é an gealltanas a d'iarr Máire ar Pheadar fá Chonall agus iad sa staidiam?
20. Taobh amuigh den turas iontach seo, cad é an buntáiste beag eile a bheadh ag Conall ar an Aoine sin?

Roinn B

1 Scríobh ar dhóigh eile na codanna a bhfuil líne fúthu sna habairtí seo a leanas. Bain úsáid as focail atá sa tsliocht thuas:

1 Ar fhreagair sé an litir sin go fóill?
2 Cé nach raibh mé ag dúil le torthaí maithe, d'éirigh go breá liom sna scrúduithe.
3 Níl sé ábalta a intinn a dhéanamh suas.
4 Ní duine iontach foighneach é Seán, ach beidh air foighne a fhoghlaim.
5 Cosnóidh an carr seo cuid mhór.
6 Bhí na buachaillí garbha sin ag baint úsáide as drochtheanga.
7 Níl an dáta sin rófhóirsteanach dúinne.
8 Tá mé ag teacht libh ar an phointe seo, caithfear na rialacha a chomhlíonadh.
9 Ní chaithfidh sé freastal a dhéanamh ar gach cruinniú.
10 Níl suim ar bith ar chor ar bith sa pheil aici.
11 Seo cúrsa speisialta do dhaoine fásta.
12 An eagraíonn sibh céilithe go minic?
13 Téim amach chuig an phictiúrlann uair sa mhí.
14 Bí faichilleach leis an tae sin nó doirtfidh tú é.
15 Ruaigfear amach as an ghrúpa é má chailleann sé coirm cheoil ar bith eile.
16 Bhí an siúlóir an-sásta nuair a bhain sí mullach an tsléibhe amach.
17 Comh maith le táille an turais, chaithfeá an t-airgead póca a chur san áireamh.
18 Tá tnúth aige liom de thairbhe gur bhain mé an duais.
19 Cad é mar atá an t-imreoir seo maidir le scileanna de?
20 Níl an páiste óg sin ach ag foghlaim an tsiúil, níl sé láidir ar a chosa go fóill.
21 Tá amharc an-deas ar an fharraige agaibh ón tseomra seo.
22 Ó thosaigh mé críochnóidh mé.

2 Cuir gach briathar a bhfuil líne faoi sna sleachta seo a leanas san aimsir fháistineach:

i) D'fhan Máire bomaite sular thug sí freagra ar Pheadar ach ba léir nach raibh sí ag dréim le moladh mar seo.

ii) Bheinn imníoch fá Chonall a dhul ar bhus a mbeadh daoine ag ól air.

iii) Reáchtálann an cumann turas speisialta teaghlaigh dhá uair in aghaidh na bliana.

iv) Geallaim sin duit ar mo bheo.

3 Cuir na codanna a bhfuil líne fúthu sna habairtí seo a leanas san uimhir iolra:

a) Ba léir nach raibh sí ag dréim le moladh mar seo.
b) D'fhiosraigh mé féin an pointe sin le Ken.
c) Is turas ar leith atá ann.
d) Geall domh go gcoinneoidh tú greim daingean ar láimh Chonaill.

4 Líon an bhearna i ngach ceann de na habairtí seo a leanas le focal cuí as an téacs:

1 Thug sé _____________ mo leasa domh.
2 Éiríonn an mháthair sin an-_____________ má fhanann a páistí amuigh mall san oíche.
3 Cé gur dheas an rud é an dara carr a bheith againn níl a fhios agam an bhfuil fíor ____ leis?
4 Má _____________ sibh oíche cheoil don naíscoil róchóngarach don Nollaig tá baol ann nach dtiocfaidh mórán de shlua.
5 Toghadh mise mar bhall den _________dhá bhliain ó shin ach, leis an phost nua seo atá agam, tá eagla orm go gcaithfidh mé éirí as.
6 Ní _____________ mé rud ar bith daoibh, ar eagla na heagla, ach déanfaidh mé mo sheacht ndícheall bheith anseo in am.
7 Tá an fear sin iontach ___________ ina bharúil agus ní éireoidh le duine ar bith a intinn a athrú in éadan a thola.
8 Níor ________ seanchat é féin riamh.

5 Déan cur síos ar na foirmeacha de na briathra a leanas a bhfuil líne fúthu.

m.sh. *glanann sé* = an tríú pearsa fhirinscneach, uimhir uatha, (foirm neamhspleách) den aimsir ghnáthláithreach den bhriathar *glan/glanadh*.

(a) Ní hé an t-airgead is mó ...
(b) Bheinn imníoch fá Chonall
(c) Aontaím leat
(d) bítear ag súil
(e) fág fúmsa é
(f) Caithfear amach
(g) Geall domh
(h) loiscfimid an t-orlach

6 Déan cur síos ar thuiseal, uimhir, dhíochlaonadh agus inscne na n-ainmfhocal a leanas a bhfuil líne fúthu.

m.sh. *lár an bhóthair* = an tuiseal ginideach, uimhir uatha, den ainmfhocal *bóthar*, an chéad díochlaonadh, firinscneach.

(a) a Pheadair, a mhuirnín
(b) ag stróiceadh na mionn mór
(c) as an chumann
(d) a bhriseann na rialacha
(e) Mí Mheán an Fhómhair
(f) loiscfimid an t-orlach

Roinn C

Saorchumadóireacht

Tabharfar marcanna níos airde dóibh siúd a bhainfeas úsáid as a gcuid focal féin in áit frásaí nó téarmaíocht a bhaint amach as an tsliocht thuas.

i) Scríobh cúig abairt (nó thart fá 50 focal) fán ólachán sa lá atá inniu ann.

ii) Taobh amuigh de dhul chuig cluiche peile, scríobh cúig abairt (nó thart fá 50 focal) fá thuras lae a ba mhian leat a dhéanamh.

Léigh mé fógra ar an pháipéar fá chúrsa ríomhaireachta do dhaoine fásta.

Aistriúchán agus triail tuigbheála 15

(i) Aistrigh an sliocht a leanas go Béarla.

Pádraig Ó Siail: ar lorg oibre

Is mise Pádraig Ó Siail agus is as Béal Feirste ó dhúchas mé. Tá mé dífhostaithe san am i láthair. Ba mhaith liom bheith ag obair ach nach dtig liom jab a fháil. Ní furasta obair a aimsiú ar na saolta seo nuair nach mbíonn ceird ná cáilíocht agat. Sin an fáth ar mhaith liom luí isteach leis an staidéar mar tchíthear domh (= feictear dom) go gcuideodh cáilíocht sa ríomhaireacht liom agus mé ar lorg poist.

Bhí mé ag obair i monarcha le ceithre bliana anuas ach chuaigh sí as gnó sé mhí ó shin. Is mór an trua (é) sin mar thaitin an post go mór liom. Bhí cuid mhór cairde agam sa mhonarcha, bhí an obair thar a bheith suimiúil agus an t-airgead measartha maith. Caithfidh mé a rá go raibh mé meallta go mór nuair a tháinig deireadh leis an phost sin mar bhí mé ag éirí cleachta leis an ríomhaireacht - leis an ríomhphost agus leis an idirlíon go háirithe.

D'fhág mé an scoil nuair nach raibh mé ach sé bliana déag d'aois. Ní raibh scrúduithe ná cáilíochtaí de shórt ar bith agam ach fuair mé post i mbialann. Chaith mé cúpla bliain ag obair sa bhialann sin, ach níor mhian liom mo shaol a chaitheamh san obair sin: bhí na huaireanta iontach fada, bhí an tuarastal an-íseal agus ní bhíodh am saor ar bith agam ag deireadh na seachtaine. Déanta na fírinne, sclábhaíocht a bhí ann. I ndiaidh mé an post sa bhialann a fhágáil, chuaigh mé anonn go Londain - mar ba leor amach domh dhá bhliain d'obair mar fhreastalaí. Fuair mé obair ar shuíomhacha tógála. Chaith mé deich mbliana thall i Londain ach tháinig mé ar ais go Béal Feirste i míle naoi gcéad nócha a cúig.

Cé nach bhfuil cáilíochtaí foirmiúla agam ba mhaith liom pilleadh ar ais ar an oideachas mar go dtuigim anois go bhfuil tábhacht mhór ag baint leis an léann. Thug na scileanna a d'fhoghlaim mé sa mhonarcha misneach domh agus tá a fhios agam anois go dtig liom an nua-theicneolaíocht a láimhseáil. Léigh mé fógra ar an pháipéar, tá cúpla lá ó shin, fá chúrsa ríomhaireachta do dhaoine fásta. Chuir mé scairt ghutháin ar oifig an phearsanra agus d'iarr orthu tuilleadh eolais agus foirm iarratais a chur amach chugam. Líon mé isteach an fhoirm iarratais agus sheol ar ais chucu í. Tháinig litir fríd an phost ar maidin ag tairiscint agallaimh domh, agus tá trí lá anois agam le hullmhú dó.

Tá súil agam go ndéanfaidh mé agallamh maith agus go bhfaighidh mé áit ar an chúrsa. Níl mórán de thaithí agam ar agallaimh, ach mhol mo chara domh gan bheith neirbhíseach, m'am a ghlacadh agus éisteacht go cúramach leis na ceisteanna a chuirfear orm. Má ghlactar liom ar an chúrsa seo, is seans iontach a bheas (= bheidh) ann mar tá mé fíorchinnte de go mbeidh mé ábalta post a fháil ina dhiaidh.

(ii) Léigh an sliocht thuas arís agus freagair na ceisteanna thíos.

Roinn A

Tabharfar níos mó marcanna dóibh siúd a fhreagróidh na ceisteanna ina bhfocail féin in áit a bheith ag baint frásaí nó téarmaí go díreach amach as an tsliocht.

1 Cá háit ar tógadh Pádraig Ó Siail?
2 An bhfuil post aige ar an bhomaite?
3 Cad chuige ar mhaith le Pádraig pilleadh ar ais ar an staidéar?
4 Cad é a d'éirigh don áit is deireanaí a raibh Pádraig ag obair inti?
5 An mbaineadh Pádraig sult as a chuid oibre sa mhonarcha?
6 Ainmnigh cúpla fáth a raibh dúil ag Pádraig san obair a bhíodh ar siúl aige sa mhonarcha?
7 Cad é a léiríonn dúinn go raibh díomá ar Phádraig nuair a chaill sé a phost?
8 Cad é na scileanna breise teicneolaíochta a raibh Pádraig ag teacht isteach orthu sa mhonarcha?
9 An raibh aois fir bainte amach ag Pádraig sular fhág sé an scoil?
10 Cad é an chéad phost a fuair sé i ndiaidh é an scoil a fhágáil?
11 An raibh íocaíocht mhaith ag dul leis an phost sin?
12 An mbíodh mórán de shaol shóisialta aige ag deireadh na seachtaine le linn an ama seo sa bhialann, i do thuairim féin?
13 Cad é an aois a bhí aige nuair a chuaigh sé anonn go Londain?
14 Cén bhliain a ndeachaigh sé go Londain?
15 Cad é mar a chuidigh na scileanna a d'fhoghlaim sé sa mhonarcha leis?
16 Cad é mar a chuala Pádraig fán chúrsa ríomhaireachta?
17 Cad é an dóigh a bhfuair sé tuilleadh eolais agus foirm iarratais?
18 Más inniu an Luan cén lá den tseachtain a mbeidh an t-agallamh ag Pádraig?
19 Cad é an chomairle a chuir a chara ar Phádraig maidir leis an agallamh?
20 Cuir i gcás go nglactar le Pádraig ar an chúrsa, an bhfuil sé dóchasach fán todhchaí?
21 Cad é an t-eolas nó an cleachtadh atá agat féin ar an ríomhaireacht?

Roinn B

1 Scríobh ar dhóigh eile na codanna a bhfuil líne fúthu sna habairtí seo a leanas. Bain úsáid as focail atá sa tsliocht thuas:

1 Caithfidh an rialtas scéimeanna fiúntacha a chur ar fáil do na daoine atá gan phost.
2 Ní thiocfadh liom an stáisiún sin raidió a fháil aréir.

3 Cad é atá ar bun agat ar an aimsir seo?
4 Níl cúis ar bith nach nglacfar leo ar an chúrsa.
5 Bhí do chara do do chuartú (= do do chuardach) ar ball.
6 Caitheann an tseanlánúin sin seal na leathbhliana sa Spáinn agus an chuid eile den bhliain abhus in Éirinn.
7 Is ábhar iontach spéisiúil í an stair.
8 Is olc an chríoch a bhí leis an duine sin.
9 An bhfuil pá mhaith ag siúl leis an phost sin?
10 Dúirt siad go mbeinn saor ag deireadh na seachtaine ach, le bheith ionraic, ní raibh.
11 Fuair mé litir oifigiúil lena rá gur glacadh liom ar an chúrsa.
12 D'fhreagair mé na chéad chúpla ceist agus thug sin uchtach domh don chuid eile den agallamh.
13 Ba mhaith liom níos mó ama le mo mhachnamh a dhéanamh.
14 Chuir sí cárta poist chugam ón Fhrainc.
15 Caithfidh mé ráiteas a dhéanamh réidh don stiúrthóir.
16 An bhfiafrófar díom fán idirlíon ag an agallamh?
17 An bhfuair tú deis léamh siar ar na nótaí sin go fóill?
18 Níl mé iomlán cinnte gurb é Seán a bhí ann.

2 Cuir gach briathar a bhfuil líne faoi sa tsliocht seo a leanas sa mhodh choinníollach:

Chuaigh mé anonn go Londain agus fuair mé obair ar shuíomhacha tógála. Chaith mé deich mbliana thall i Londain ach tháinig mé ar ais go Béal Feirste. D'iarr mé áit ar chúrsa agus glacadh liom. Chríochnaigh mé an cúrsa agus bhain mé teastas amach.

3 Cuir na codanna a bhfuil líne fúthu sna habairtí seo a leanas san uimhir iolra:

a) Thaitin an post go mór liom.
b) Léigh mé fógra ar an pháipéar cúpla lá ó shin fá chúrsa ríomhaireachta.
c) Dúradh ar an fhoirm iarratais go raibh trí lá agam.
d) Tá súil agam go ndéanfaidh mé agallamh maith agus go bhfaighidh mé áit ar an chúrsa.

4 Líon an bhearna i ngach ceann de na habairtí seo a leanas le focal cuí as an téacs:

1 Is fearr lán doirn de _________ ná lán mála d'ór.
2 Tar ________ an staighre agus fan thíos sa halla go dtaga an tacsaí.
3 Is breá liom na _____________ campála atá thall sa Fhrainc.
4 Cuireadh deireadh leis an _________________ i Stáit Aontaithe Mheiriceá sa bhliain míle ocht gcéad is a hocht.
5 Bhí mé ag iarraidh mo charr a dhíol agus chuir mé ________ ar an nuachtán.
6 Ná _______ an mála go barr nó ní bheidh mé ábalta a iompar (= é a iompar).
7 Éirím iontach ________________ nuair a iarrann daoine orm amhrán a rá.
8 Bí _____________ leis na huibheacha sin.

5 Déan cur síos ar na foirmeacha de na briathra a leanas a bhfuil líne fúthu.

m.sh. *glanann sé* = an tríú pearsa fhirinscneach, uimhir uatha, (foirm neamhspleách) den aimsir ghnáthláithreach den bhriathar *glan/glanadh*.

(a) ní furasta
(b) D'fhág mé an scoil
(c) chuaigh sí
(d) líon mé
(e) go bhfaighidh mé
(f) na ceisteanna a chuirfear orm
(g) Má ghlactar liom
(h) tá mé

6 Déan cur síos ar thuiseal, uimhir, dhíochlaonadh agus inscne na n-ainmfhocal a leanas a bhfuil líne fúthu.

m.sh. *lár an bhóthair* = an tuiseal ginideach, uimhir uatha, den ainmfhocal *bóthar*, an chéad díochlaonadh, firinscneach.

(a) na laethanta seo
(b) ar lorg poist
(c) ar an oideachas
(d) bhí na huaireanta iontach fada
(e) ar shuíomhacha tógála
(f) ar an chúrsa

Roinn C

Saorchumadóireacht

Tabharfar marcanna níos airde dóibh siúd a bhainfeas úsáid as a gcuid focal féin in áit frásaí nó téarmaíocht a bhaint amach as an tsliocht thuas.

i) Scríobh cúig abairt (nó thart fá 50 focal) fá ghné inteacht (= éigin) den dífhostaíocht.

ii) Scríobh cúig abairt (nó thart fá 50 focal) fá na buntáistí agus/nó na míbhuntáistí a bhaineas le ríomhairí agus leis an ríomhaireacht i saol an lae inniu.

Léim sí amach as an charr go gasta agus chroith haincearsan bán os a cionn.

Aistriúchán agus triail tuigbheála 16

(i) Aistrigh an sliocht a leanas go Béarla.

Caillte sa tsneachta

D'fhág Siubhán slán ag a tuismitheoirí ardtráthnóna Dé Domhnaigh. Ba pháiste aonair í agus ba as Inis Ceithleann í. Bhí cónaí uirthi i mBéal Feirste le dhá bhliain déag anuas ach, mar sin féin, thugadh sí cuairt rialta ar a muintir féin uair sa mhí. Bhaineadh an turas ó Bhéal Feirste go hInis Ceithleann uair agus trí cheathrú aisti.

'Glac d'am, a iníon, ní gá tiomáint go gasta,' a deireadh a hathair i gcónaí léi 'marbhtar (= maraítear) barraíocht daoine ar na bóithre agus is é an luas is ciontaí leis, sin agus an t-ól.'

'Maith go leor, a athair, leanfaidh mé an chomhairle chríonna sin. Slán, a Mhamaí, cuirfidh mé scairt oraibh san oíche anóirthear ag an ghnátham. Go gcumhdaí Dia sibh!'

D'imigh Siubhán síos an bealach mór ar luas réasúnta réidh. An geimhreadh a bhí ann, agus níorbh fhada gur thosaigh sé a dhul ó sholas. Bhíodh sé de nós ag Siubhán, nuair a bheadh sí ina haonar sa charr, ceol a chur a dhul ar mhaithe le comhluadar a bheith aici. Is é an ceol traidisiúnta an cineál ceoil ab fhearr léi, agus bhí dlúthdhiosca de chuid *Clannad* léi an iarraidh seo. Bhí gach rud ag dul i gceart lena turas go dtí gur thosaigh fuaimeanna aisteacha ag teacht amach as inneall an chairr. D'amharc Siubhán ar thomhasaire an pheitril agus chonaic sí go raibh an tanc folamh. Bhí Siubhán ar mire léi féin mar bhí sé ar intinn aici dhul chuig an gharáiste i ndiaidh am lóin an lá sin, ach fán am a raibh an dinnéar agus an mhilseog ite aici bhí an smaoineamh fán pheitreal imithe glan amach as a cuimhne.

B'éigean di tarraingt isteach ar imeall an mhótarbhealaigh. Ar an dea-uair do Shiubhán bhí ballraíocht den AA saor in aisce ar feadh bliana aici. Tugadh an bhallraíocht seo di (comh maith le hárachas bliana agus deireadh seachtaine in óstán i mBaile Átha Cliath) mar chuid den phacáiste a thug an déileálaí carranna di nuair a cheanaigh sí an carr úrnua naoi mí ó shin i mBaile an Chaistil. Bhí guthán póca léi ina mála láimhe, ach, ar an drochuair di, bhí an cadhnra íseal agus ní thiocfadh léi feidhm a bhaint as. Chuir seo scáth agus beaguchtach uirthi, ar an ábhar go raibh sé ag cur sneachta fán am seo.

'Siocfar leis an fhuacht mé mura bhfaighe mé peitreal gan mhoill. Och, cad é atá i ndán domh ar chor ar bith?' Leis sin, chonaic sí leoraí ag tarraingt ina treo a bhí ag spréadh grin ar na bóithre. Léim sí amach as an charr go gasta agus chroith haincearsan bán os a cionn. Stop tiománaí an leoraí gur mhínigh Siubhán an scéal dó féin agus dá chomrádaí.

'Cuir do charr faoi ghlas agus léim ar bord linne, a bhean uasal,' arsa an tiománaí go tuigseanach. 'Tá garáiste míle suas an bealach mór: thig leat an canna seo a líonadh le peitreal agus tiomáinfimid ar ais chuig an charr thú. Idir an dá linn, cuirfidh mé scairt ar na péas agus míneoidh mé dóibh go dtiocfaidh tú ar ais chuig an charr fá cheann leathuaire nó mar sin.'

(ii) Léigh an sliocht thuas arís agus freagair na ceisteanna thíos.

Roinn A

Tabharfar níos mó marcanna dóibh siúd a fhreagróidh na ceisteanna ina bhfocail féin in áit a bheith ag baint frásaí nó téarmaí go díreach amach as an tsliocht.

1 Ar fhág Siubhán teach a tuismitheoirí go luath an tráthnóna sin?
2 Cá mhéad deirfiúr agus deartháir atá ag Siubhán Nic Dhónaill?
3 Má tá Siubhán tríocha bliain d'aois, cad é an aois a bhí aici nuair a tháinig sí a chónaí go Béal Feirste?
4 Cá mhéad turas sa bhliain a dhéanadh Siubhán go hInis Ceithleann?
5 Cá mhéad ama a bhaineadh an gnáth-thuras pillte aisti idir Béal Feirste agus Inis Ceithleann?
6 Cad é a d'iarr a hathair uirthi ag imeacht di?
7 Cad é an dá ní is mó is cúis le básanna ar na bealaí móra i dtuairim athair Shiubhán?
8 Cad é mar a chuir Siubhán in iúl dá hathair go n-éistfeadh sí lena chomhairle?
9 Cén oíche den tseachtain a gcuireadh Siubhán scairt chun an bhaile?
10 Cén séasúr den bhliain a bhí ann?
11 An mbeadh Siubhán ag tiomáint ar ais go Béal Feirste le solas an lae?
12 Cad chuige a seinneadh Siubhán ceol sa charr?
13 An é an rac-cheol an cineál ceoil ab fhearr léi?
14 Cén grúpa ceoil a raibh sí ag brath éisteacht leo sa charr an tráthnóna seo?
15 Cad é an chéad chomhartha a fuair Siubhán go raibh fadhb leis an charr?
16 Cad é a ba chúis leis an charr stopadh?
17 Ar rith sé le Siubhán dhul chuig an gharáiste an lá sin?
18 Cad é a rinne sí nuair a d'aithin sí nach raibh peitreal ar bith fágtha aici?
19 Cá mhéad a chosain ballraíocht bliana den AA di?
20 Cen fáth, i do bharúil, a raibh Siubhán i mBaile Átha Cliath ar na mallaibh?
21 Cá fhad a bhí an carr seo i seilbh Shiubhán?
22 Cad chuige nár éirigh le Siubhán glaoch a chur ar an AA ar a guthán póca?
23 Cad é an eagla is mó a bhí ar Shiubhán nuair a thuig sí go raibh an guthán briste?

24 Cad é an chúis a spréitear grean ar na bóithre?
25 Cad é an dóigh ar tharraing Siubhán aird uirthi féin, agus í san fhaopach?
26 Cad é an chéad rud a d'iarr tiománaí an leoraí uirthi?
27 Cé a d'fhágfadh Siubhán ar ais chuig a carr féin?
28 Cá fhad a bhainfeadh sé astu dhul chuig an gharáiste agus pilleadh ar ais chuig an charr?

Roinn B

1 Scríobh ar dhóigh eile na codanna a bhfuil líne fúthu sna habairtí seo a leanas. Bain úsáid as focail atá sa tsliocht thuas:

1 Ná bíodh deifre ar bith oraibh.
2 'Ní féidir liom siúl go tapa,' arsa an seanduine.
3 Itheann daoine an iomarca ag an Nollaig.
4 An dtiocfaidh tú i mo dhiaidh?
5 Tá an duine sin iontach glic.
6 Tá sé ag éirí dorcha.
7 Ní raibh duine ar bith eile leis ach é féin.
8 Ba bhreá le mo mháthair mhór cuideachta a bheith aici.
9 Cad é an saghas cairr a cheannaigh tú?
10 An bhfuil tú maith go leor ansin, a chara?
11 Titeann rudaí corra amach in amanna.
12 Níor bhreathnaigh mé ar an chlár teilifíse sin le tamall fada.
13 Chuaigh an múinteoir ar an daoraidh nuair a chuala sé fá sin.
14 An bhfuil rún acu an teach a dhíol?
15 Ní thiocfadh liom iarbhéile a ithe, tá mé líonta lán!
16 Bhí orthu stopadh ag an gharáiste.
17 Níor dhíol mé a oiread agus pingin ar an leabhar sin.
18 An mbaintear úsáid as an Ghaeilge sa rang sin?
19 Cuireann scéalta fá thaibhsí eagla ar na páistí bochta.
20 Bhí sí caillte leis an fhuacht.
21 Má tá slaghdán ort mholfainn duit cúpla ciarsúr a thabhairt leat.
22 Stadfaidh an carr mura mbí peitreal ann.

2 Cuir gach briathar a bhfuil líne faoi sna sleachta seo a leanas san aimsir fháistineach:

a) Thugadh sí cuairt rialta ar a muintir féin uair sa mhí. Bhaineadh an turas uair agus trí cheathrú aisti.

b) D'amharc Siubhán ar thomhasaire an pheitril agus chonaic sí go raibh an tanc folamh. Bhí Siubhán ar mire léi féin.

c) Léim sí amach as an charr agus chroith haincearsan bán os a cionn.

3 Cuir na codanna a bhfuil líne fúthu sna habairtí seo a leanas san uimhir iolra:

a) Ba pháiste aonair í.
b) Glac do chuid ama, a iníon.
c) Chonaic sí go raibh an tanc folamh.
d) Bhí guthán póca ina mála láimhe léi.
e) Leis sin, chonaic sí leoraí ag tarraingt ina treo.

4 Líon an bhearna i ngach ceann de na habairtí seo a leanas le focal cuí as an téacs:

1 An imríonn tú leadóg? Imrím, go measartha ___________.
2 Ar ith tú do sháith? D'ith, mo sháith is ____________.
3 Níl a fhios agam cad é a ba chóir domh a dhéanamh, tá mé idir dhá _______________.
4 An bhfuil duine ar bith eile leat, a Phádraig, nó ar tháinig tú i d'_________?
5 Caithfimid tuilleadh ola a ordú don teas lárnach mar tá an __________ measartha íseal.
6 Seo an stoirm is measa dár thainig le ________ na ndaoine.
7 Ar tháinig post ar bith inniu? Tháinig, cúpla litir agus __________ amháin.
8 Ní thiocfadh sí ar cuairt arís go _______ míosa.

5 Déan cur síos ar na foirmeacha de na briathra a leanas a bhfuil líne fúthu.

m.sh. *glanann sé* = an tríú pearsa fhirinscneach, uimhir uatha, (foirm neamhspleách) den aimsir ghnáthláithreach den bhriathar *glan/glanadh*.

(a) Ba pháiste aonair í.
(b) thugadh sí cuairt
(c) Glac do chuid ama,
(d) marbhtar barraíocht daoine
(e) leanfaidh mé an chomhairle
(f) nuair a bheadh sí
(g) mura bhfaighe mé peitreal
(h) tiomáinfimid ar ais

6 Déan cur síos ar thuiseal, uimhir, dhíochlaonadh agus inscne na n-ainmfhocal a leanas a bhfuil líne fúthu.

m.sh. *lár an bhóthair* = an tuiseal ginideach, uimhir uatha, den ainmfhocal *bóthar*, an chéad díochlaonadh, firinscneach.

(a) sin agus an t-ól
(b) maith go leor, a athair
(c) thosaigh fuaimeanna aisteacha
(d) ar imeall an mhótarbhealaigh
(e) Tugadh an bhallraíocht seo di
(f) fá cheann leathuaire

Roinn C

Saorchumadóireacht

Tabharfar marcanna níos airde dóibh siúd a bhainfeas úsáid as a gcuid focal féin in áit frásaí nó téarmaíocht a bhaint amach as an tsliocht thuas.

i) Scríobh cúig abairt (nó thart fá 50 focal) fá ról an chairr sa lá atá inniu ann.

ii) Scríobh cúig abairt (nó thart fá 50 focal) fán dóigh a dtig linn coinneáil i dteagmháil lenár ngaolta nó lenár gcairde.

Bheadh Carol agus Anraí ina suí fán am seo agus chuideodh siadsan lena n-athair.

Aistriúchán agus triail tuigbheála 17

(i) Aistrigh an sliocht a leanas go Béarla.

Tomás - an leanbh iomlatach

Maidin Sathairn i lár an tsamhraidh a bhí ann agus an ghrian ag soilsiú comh láidir sin fríd fhuinneog na cistine gur tharraing Cathy na dallóga. Bhí Tomás, an leanbh, ina shuí ina ardchathaoir ag ithe a bhricfeasta ach bhí an bheirt pháiste eile ina luí go fóill. Bhí Roibeard, fear céile Cathy, ar shiúl síos chuig an ollmhargadh le siopadóireacht na seachtaine a dhéanamh. Shuíodh Roibeard síos agus scríobhadh sé amach liosta na siopadóireachta tráthnóna Dé hAoine.

Chrochtaí an liosta ar an bhalla ansin - faoin scáthán os cionn na tine - agus bhaineadh Cathy anuas an oíche chéanna é, go díreach sula dtéadh sí a luí, go léadh sí siar air. Chuireadh sí mír nó dhó eile leis an liosta ó am go ham, dá mb'éigean é, ach, lena cheart a thabhairt do Roibeard, is beag iarraidh a d'fhágadh sé rud ar bith a bheadh de dhíth orthu ar lár.

Bhí sé a deich a chlog agus bheadh Roibeard ar ais ón ollmhargadh i gceann leathuaire. Thiocfadh sé isteach ar an doras cúil, d'fhágfadh admháil an chárta creidmheasa sa chrúiscín ar an drisiúr, chuirfeadh síos an citeal agus ansin bhainfeadh na hearraí uilig amach as na málaí. Bheadh Carol agus Anraí ina suí fán am seo agus chuideodh siadsan lena n-athair. Líonfadh Carol an cuisneoir agus chuirfeadh Anraí na cannaí, na buidéil agus na paicéid a bhí le dhul isteach sna cófraí ar na seilfeanna.

Chruinneodh Roibeard na málaí plaisteacha agus d'fhágfadh i leataobh iad amach as an chosán, le fios nó le hamhras, mar cé nach raibh Tomás ach bliain d'aois bhíodh sé ag lámhacán thart fán teach le mí anuas agus ag cur gach rud a chastaí ina shlí dó ina bhéal nó ar a cheann. Inné féin, i ndiaidh am lóin, rugadh greim air agus buidéal bléitse á thabhairt amach as an chófra aige ach, ar ámharaí an tsaoil, thug Cathy spléachadh air agus sciob an buidéal amach as a ghlac in áit na mbonn.

'Fág uait an buidéal bléitse sin, a stóirín,' arsa a mháthair, ag tabhairt rúide ionsair agus á thógáil ina hucht, 'tá sin contúirteach. Ná bain dó sin arís, gabh isteach sa halla agus bí ag súgradh le do theidí beag.'

Nuair a tháinig Roibeard ar ais óna chuid oibre sa gharáiste an tráthnóna sin, d'inis Cathy an scéal dó ó thús go deireadh. 'Nach é an ruagaire reatha é?', arsa Roibeard. 'Fuair mise greim aréir air agus é leath bealaigh suas an staighre. Níor scairt mé air ar fhaitíos gur titim a dhéanfadh sé ach shiúil mé suas go socair agus d'iompair anuas é, agus ní chreidfeá an gáire mór a bhí air liom. Ní thuigeann sé cad is contúirt ann. Ach tá leigheas ar an scéal seo chun an bhaile liom mar cheannaigh mé dhá gheata linbh i siopa na bpáistí inniu - ceann do bhun an staighre agus an ceann eile don phríomhdhoras. Cuirfidh mé le chéile anois iad sula n-ithe mé mo dhinnéar nó is fearr bheith in am ná in an-am.'

(ii) Léigh an sliocht thuas arís agus freagair na ceisteanna thíos.

Roinn A

Tabharfar níos mó marcanna dóibh siúd a fhreagróidh na ceisteanna ina bhfocail féin in áit a bheith ag baint frásaí nó téarmaí go díreach amach as an tsliocht.

1 Cad é an séasúr den bhliain a bhí ann?
2 Cad é a léireodh go raibh teas na gréine ag cur isteach ar Cathy?
3 Cad chuige, i do bharúil, a gcuirtear leanaí óga in ardchathaoireacha?
4 Cá mhéad duine clainne atá ag Cathy agus Roibeard?
5 Cá dtéann Roibeard le siopadóireacht na seachtaine a dhéanamh?
6 Cad é a dhéanadh Roibeard le liosta na siopadóireachta nuair a scríobhadh sé amach é?
7 An éiríonn le Roibeard (an chuid is mó den am) gach rud a chur ar an liosta earraí a bhíonn de dhíth ar an teaghlach?
8 Cad é an t-am a dtagann Roibeard ar ais ón ollmhargadh?
9 Cad é a léiríonn nach n-íocadh Roibeard as an tsiopadóireacht le hairgead tirim?
10 Cad chuige, i do thuairim féin, a dtiocfadh Roibeard isteach leis na málaí ar an doras cúil?
11 Cé a bhéarfadh (= a thabharfadh) lámh chuidithe do Roibeard na hearraí a chur ar shiúl?
12 Cén fáth a mbeadh lámha Carol níb fhuaire ná lámha Anraí?
13 Cad chuige a gcuirfeadh Roibeard na málaí plaisteacha in áit shábháilte?
14 An bhfuil Tomás in ann siúl fós?
15 Cén lá den tseachtain a bhfuarthas greim ar an leanbh agus an bléitse ina láimh?
16 Cad é a rinne a mháthair nuair a chonaic sí an buidéal bléitse i láimh a mic?
17 Cad é an chéad rud a d'iarr sí ar a mac a dhéanamh?
18 Cén bréagán a bhí amuigh sa halla?
19 An dtugann an téacs leid ar bith dúinn gur meicneoir atá i Roibeard?
20 Cén oíche den tseachtain ar ardaigh Tomás an staighre?
21 Cad chuige nár ardaigh Roibeard a ghlór le Tomás ag an phointe sin?
22 Cad é mar a dhéanfadh Roibeard cinnte de nach ndéanfadh Tomás a leithéid de dhreapadóireacht arís?
23 Cad é a chuirfeadh moill ar Roibeard a dhinnéar a ithe an oíche sin?

Roinn B

1 Scríobh ar dhóigh eile na codanna a bhfuil líne fúthu sna habairtí seo a leanas. Bain úsáid as focail atá sa tsliocht thuas:

1 Nach bhfuil na daoine sin imithe go fóill?
2 Ar mhaith leat píosa den oráiste seo?
3 Thagadh sí ar cuairt chugainn corruair.
4 Is annamh lá nach bhfeicinn é.
5 An bhfuil deoch uait?
6 Tá cúpla píosa de na míreanna mearaí ar iarraidh.
7 An bhfuil sé sásta a rá amach go hoscailte gur air féin a bhí an locht?
8 An mbaileofá na páistí i ndiaidh na scoile inniu, más é do thoil é?
9 Chuir sé an aiste ar an mhéar fhada.
10 Coimhéad thú féin ag siúl ar an chabhsa sin mar tá sé an-sleamhain.
11 Tabhair leat hata nó scáth fearthainne ar eagla na heagla.
12 Ní bheadh a fhios agat cé leis a mbuailfeá ag na cruinnithe sin.
13 D'amharc sé go gasta orm agus ansin d'imigh sé leis.
14 Ghoid duine inteacht mo theannaire orm.
15 Tabhair leat lán doirn de na milseáin sin más mian leat.
16 Cuir síos an crúiscín sin sula mbrise tú é.
17 Theann sí a leanbh lena brollach.
18 Téigh isteach sa chistin agus cuir síos an citeal.
19 Tá achan leathanach den leabhar sin léite agam.
20 Rith sé isteach de sciuird chugainn leis an scéal a inse dúinn.
21 Ar ghlaoigh siad aréir ort?
22 Ní thabharfadh an fear sin isteach do thaibhsí.
23 Chaith mise uair an chloig ag fanacht léi ag an doras mhór ach bhí sise ina seasamh ag an taobhdhoras.
24 Chaith muid béile an-deas san óstán sin anuraidh.

2 Cuir gach briathar a bhfuil líne faoi sa tsliocht seo a leanas san aimsir láithreach:

Shuíodh Roibeard síos agus scríobhadh sé amach liosta na siopadóireachta tráthnóna Dé hAoine. Chrochtaí an liosta ar an bhalla ansin agus bhaineadh Cathy anuas an oíche chéanna é, go díreach sula dtéadh sí a luí, go léadh sí siar air. Chuireadh sí mír nó dhó eile leis an liosta ó am go ham, dá mb'éigean é.

3 Cuir na codanna a bhfuil líne fúthu sna habairtí seo a leanas san uimhir iolra:

a) Bhí an leanbh ina shuí ina ardchathaoir.
b) Fág uait an buidéal bléitse sin, a stóirín.
c) Ná bain dó sin arís, gabh isteach sa halla.
d) Nach é an ruagaire reatha é?

Cuir na codanna a bhfuil líne fúthu sna habairtí seo a leanas san uimhir uatha:

a) Chuirfeadh Anraí na cannaí, na buidéil agus na paicéid a bhí le dhul isteach sna cófraí ar na seilfeanna.

4 Líon an bhearna i ngach ceann de na habairtí seo a leanas le focal cuí as an téacs:

1 Is maith an ____________ súil carad.
2 Is ar __________ a chreid sé mé.
3 Rinne mé dearmad __________ a chur chuig mo mháthair mhór agus inniu a breithlá; beidh orm scairt a chur anocht uirthi.
4 Coinnítear cáis, bainne agus iógart i _____________ le iad a choinneáil úr.
5 Go raibh míle maith agat as _______ do chineáltais.
6 ____ maith leath na hoibre.
7 Rí an ___________, rí an tsnámha agus rí an eolais .i. an carrfhia.
8 Níl luibh ná ___________ in aghaidh an bháis.

5 Déan cur síos ar na foirmeacha de na briathra a leanas a bhfuil líne fúthu.

m.sh. *glanann sé* = an tríú pearsa fhirinscneach, uimhir uatha, (foirm neamhspleách) den aimsir ghnáthláithreach den bhriathar *glan/glanadh*.

(a) Chrochtaí ar an bhalla ansin é.
(b) sula dtéadh sí a luí
(c) chuideodh siadsan
(d) Ná bain de sin arís
(e) Nach é an ruagaire reatha é?
(f) ní chreidfeá
(g) sula n-ithe mé
(h) Cuirfidh mé suas

6 Déan cur síos ar thuiseal, uimhir, dhíochlaonadh agus inscne na n-ainmfhocal a leanas a bhfuil líne fúthu.

m.sh. *lár an bhóthair* = an tuiseal ginideach, uimhir uatha, den ainmfhocal *bóthar*, an chéad díochlaonadh, firinscneach.

(a) fríd fhuinneog na cistine
(b) tharraing Cathy na dallóga
(c) Bhaineadh Cathy anuas an liosta
(d) amach as an chosán
(e) Fág uait sin, a stóirín
(f) i siopa na bpáistí

Roinn C

Saorchumadóireacht

Tabharfar marcanna níos airde dóibh siúd a bhainfeas úsáid as a gcuid focal féin in áit frásaí nó téarmaíocht a bhaint amach as an tsliocht thuas.

i) Scríobh cúig abairt (nó thart fá 50 focal) fá na hathruithe is mó a tháinig ar shiopaí agus/nó ar mhodhanna siopadóireachta i do shaol féin.

ii) Scríobh cúig abairt (nó thart fá 50 focal) fá na rudaí a dhéanfá dá bhfeicfeá tachrán dhá bhliain d'aois amuigh leis féin i lár an bhóthair i lár na cathrach.

hIarradh orm aistriú go Baile Átha Cliath anuraidh.

Aistriúchán agus triail tuigbheála 18

(i) Aistrigh an sliocht a leanas go Béarla.

Ursula Briggs - bainisteoir

Is mise Ursula Briggs. Rugadh in Leeds mé ach ní as Leeds mo thuismitheoirí. Rugadh m'athair, Tomás Briggs, i nDún Laoghaire (in aice le Baile Átha Cliath) agus is as Gaoth Dobhair mo mháthair. Síle Ní Ghallchóir a bhí uirthi sin sular pósadh í agus cainteoir dúchais Gaeilge atá inti. Gaeilge uilig a labhradh sí (= a labhraíodh sí) liomsa ó tháinig ciall nó cuimhne chugam.

Is bainisteoir i gcomhlacht árachais mé. I mbliana an seachtú bliain domh san obair seo. Nuair a thosaigh mé leis an chomhlacht i dtús ama bhí mé lonnaithe in oifig i Londain, ach hiarradh orm aistriú go Baile Átha Cliath anuraidh - rud a rinne mé go fonnmhar. Chaith mé na chéad deich mí ar lóistín i dteach m'aintín, amuigh i nDún Laoghaire, ach tá mé go díreach i ndiaidh árasán a cheannacht domh féin i gceartlár Bhaile Átha Cliath. Bainfidh sé tamall beag asam socrú isteach san árasán úr, ach 'is de réir a chéile a thógtar na caisleáin' mar a deirtear.

Bhí mé ar mhuin na muice i dteach m'aintín i dtaca le cuideachta, béilí agus compord de, ach bhíodh an trácht an-trom ar maidin agus mé ag iarraidh bheith ag tiomáint isteach go lár Bhaile Átha Cliath go luath ar maidin. D'éirigh mé bréan sa deireadh den bhrú tráchta agus mheas mé, i gcás ar bith, nár dhochar ar bith áit bheag a bheith agam domh féin - mar gur maith an infheistíocht árasán i gcathair mhór mar Bhaile Átha Cliath. Lena chois sin, tá mo neamhspleáchas féin agam san árasán, cé go dtig liom bualadh amach chuig m'aintín am ar bith is áil liom. Ó bhog mé isteach go lár na cathrach níl feidhm a thuilleadh le carr agam, ar an ábhar go dtig liom siúl chuig mo chuid oibre. Ós duine de thógáil an bhaile mhóir mé, caithfidh mé a rá amach go hoscailte gur breá liom an fuadar agus an bheocht a bhaineann le saol na cathrach. Ní fhéadfainn cur fúm in áit ar bith eile ach i gcathair.

D'fhág m'athair Dún Laoghaire nuair a bhí sé ocht mbliana déag d'aois. Chuaigh sé ar an traein go Leeds maidin amháin agus fuair sé post mar thógálaí tráthnóna an lae sin agus tá an jab ceannann céanna aige ó shin! Cúig bliana ina dhiaidh sin, ar Lá Fhéile Pádraig, bhuail sé le mo mháthair ag damhsa in Leeds.

Ba scoláire í mo mháthair san am. Bhí sí ag freastal ar choláiste oiliúna agus í ag traenáil don mhúinteoireacht. Tá Mamaí trí bliana níos óige ná Daidí. Nuair a bhí mo mháthair réidh leis an choláiste fuair sí post sealadach ar feadh bliana i meánscoil. An bhliain dár gcionn, tairgeadh post buan i mbunscoil di agus ghlac sí leis. Cé gur thaitin an mheánscoil léi maith go leor, deir sí gur míle fearr léi bheith ag obair i mbunscoil.

Pósadh mo thuismitheoirí ar a chéile go gairid ina dhiaidh sin. Ní in Leeds a pósadh iad, ar ndóigh, mar is ar ais go hÉirinn a tháinig siad go bpósfaí i gContae Dhún na nGall iad. Nuair a bhí an bhainis thart chaith siad mí ag taisteal thart ar Éirinn agus ansin thug siad a n-aghaidh ar ais ar Leeds. Cheannaigh siad teach beag ar imeall na cathrach agus is sa teach bheag sin a tógadh mé féin, an bheirt dheirfiúr agus an triúr deartháir atá agam. Cronaím uaim anseo iad ach níl neart air.

(ii) Léigh an sliocht thuas arís agus freagair na ceisteanna a thagann ina dhiaidh.

Roinn A

Tabharfar níos mó marcanna dóibh siúd a fhreagróidh na ceisteanna ina bhfocail féin in áit a bheith ag baint frásaí nó téarmaí go díreach amach as an tsliocht.

1 Cárb as Ursula Briggs?
2 An as Dún Laoghaire a hathair?
3 Ar rugadh máthair Ursula i nGaoth Dobhair?
4 Cad é an sloinne a bhí ar mháthair Ursula sular pósadh í?
5 Cá fhad atá Ursula ag obair ag an chomhlacht árachais?
6 Má thosaigh Ursula ag obair i Londain i míle naoi gcéad nócha a haon, cén bhliain ar hiarradh uirthi aistriú go Baile Átha Cliath?
7 An dtaitníodh an taisteal ó theach a haintín go lár Bhaile Átha Cliath le hUrsula?
8 Ar shíl Ursula gur chiallmhar an mhaise di árasán a cheannacht i mBaile Átha Cliath?
9 An mothaíonn Ursula go bhfuil saol níos príobháidí san árasán nua aici?
10 Cad chuige a gcaillfidh Ursula a háit pháirceála i gcarrchlós an chomhlachta árachais?
11 An miste le hUrsula fán challán agus fán trup i lár na cathrach?
12 Ar bhain sé i bhfad as athair Ursula obair a fháil in Leeds nuair a chuaigh sé ann a chéaduair?
13 Cad é an tslí bheatha atá aige?
14 Cad é an aois a bhí ag Tomás Briggs nuair a bhuail sé le Síle Ní Ghallchóir?
15 Cá háit ar casadh ar a chéile iad? (= Cár casadh ar a chéile iad?)
16 An sine Síle ná Tomás?
17 Má tá máthair Ursula caoga a cúig, cad é an aois atá ag a hathair, do bharúil?
18 An bhfuair Síle Ní Ghallchóir post buan i meánscoil ar fhágáil an choláiste oiliúna di?
19 Má fuair sí post sa mheánscoil i míle naoi gcéad seachtó a ceathair, cá huair a ceapadh sa bhunscoil í?
20 An fearr le Síle an bhunscoil ná an mheánscoil?
21 An in Leeds a pósadh Tomás Briggs agus Síle Ní Ghallchóir ar a chéile?
22 Cén tír inar pósadh iad? (= Cén tír ar pósadh inti iad?)
20 Cá mhéad ama a chaith siad ag dul thart ar a dtír féin sula ndeachaigh siad ar ais go Sasain?

21 An bhfuair an lánúin nuaphósta árasán ar cíos ar dhul ar ais go Leeds dóibh?
22 Cá mhéad páiste ar fad atá ag Tomás Briggs agus a bhean Síle?

Roinn B

1 Scríobh ar dhóigh eile na codanna a bhfuil líne fúthu sna habairtí seo a leanas. Bain úsáid as focail atá sa tsliocht thuas:

1 Tháinig a athair agus a mháthair ar cuairt chuig Seán Dé Domhnaigh.
2 Tháinig mo mháthair ar an tsaol i gCorcaigh.
3 Tógadh mise taobh leis an mhonarcha sin.
4 Múinteoir scoile atá ionam.
5 Chuir mé tús leis an aiste aréir.
6 Caithfidh mé Gaeilge a chur ar an fhógra seo.
7 Tá sé ag stopadh ag gaolta dá chuid.
8 Tá Rinn na Feirste i gcroílár na Gaeltachta.
9 Tá na daoine sin ina suí go te.
10 Bhí boladh lofa as na huibheacha sin.
11 Ní maith liom an cineál sin cainte.
12 Níl brí ar bith sa duine sin óir tá sé iontach marbhánta.
13 An mbeidh tú ag dul áit ar bith tar éis an scannáin?
14 Más mac léinn tú caithfidh tú bheith ag staidéar go dian, dícheallach.
15 An bhfuil tú críochnaithe leis an nuachtán go fóill, a bhean uasal?
16 An ólann tú bainne?
19 D'imigh sé ó Leeds an mhaidin arna mhárach.
20 Phill siad ar ais chun an bhaile i ndiaidh blianta fada a chaitheamh ar an choigríoch.
21 Is breá liomsa bheith ag dul thart ó thír go tír.
22 Bíonn cumha orainn i ndiaidh an bhaile.

2 Cuir gach briathar a bhfuil líne faoi sna sleachta seo a leanas san aimsir fháistineach:

i) Nuair a thosaigh mé leis an chomhlacht i dtús ama bhí mé lonnaithe in oifig i Londain, ach hiarradh orm aistriú go Baile Átha Cliath - rud a rinne mé go fonnmhar.

ii) D'fhág m'athair Dún Laoghaire nuair a bhí sé ocht mbliana déag d'aois. Chuaigh sé ar an traein go Leeds maidin amháin agus fuair sé post mar thógálaí an tráthnóna céanna. Bhuail sé le mo mháthair ag damhsa in Leeds.

3 Athscríobh na habairtí seo agus cuir na focail a bhfuil líne fúthu san uimhir iolra:

a) Cainteoir dúchais Gaeilge atá inti.
b) Is bainisteoir i gcomhlacht árachais mé.
c) Mheas mé, i gcás ar bith, nár dhochar ar bith áit bheag a bheith agam domh féin.
d) Tá mo neamhspleáchas féin agam san árasán.
e) Fuair sí post buan i mbunscoil agus ghlac sí leis.

4 Líon an bhearna i ngach ceann de na habairtí seo a leanas le focal cuí as an téacs:

1 Tig (= Tagann) ________ le haois.
2 Fan amach ó dhroch- ______________.
3 Is furasta fearg a chur ar dhuine nuair a bhíonn sé faoi _______.
4 Ba í an Ghaeilge an __________ ab fhearr liom ar scoil.
5 Ní thig leis an duine sin fanacht socair. Bíonn i gcónaí __________ mór faoi.
6 Cé go bhfuil siad an-chosúil lena chéile, níl siad díreach mar an __________.
7 Ní _____ gach ní a chaitear.
8 Cá háit ar chaith an lánúin sin ___ na meala?

5 Déan cur síos ar na foirmeacha de na briathra a leanas a bhfuil líne fúthu.

m.sh. *glanann sé* = an tríú pearsa fhirinscneach, uimhir uatha, (foirm neamhspleách) den aimsir ghnáthláithreach den bhriathar *glan/glanadh*.

(a) sular pósadh í
(b) labhradh sí (= labhraíodh sí)
(c) bainfidh sé
(d) a thógtar na caisleáin
(e) d'éirigh mé bréan
(f) Ní fhéadfainn
(g) fuair sé post
(h) Ba scoláire í mo mháthair.

6 Déan cur síos ar thuiseal, uimhir, dhíochlaonadh agus inscne na n-ainmfhocal a leanas a bhfuil líne fúthu.

m.sh. *lár an bhóthair* = an tuiseal ginideach, uimhir uatha, den ainmfhocal *bóthar*, an chéad díochlaonadh, firinscneach.

(a) mo thuismitheoirí
(b) i gcomhlacht árachais
(c) ar mhuin na muice
(d) den bhrú
(e) gur maith an infheistíocht
(f) Contae Dhún na nGall

Roinn C

Saorchumadóireacht

Tabharfar marcanna níos airde dóibh siúd a bhainfeas úsáid as a gcuid focal féin in áit frásaí nó téarmaíocht a bhaint amach as an tsliocht thuas.

i) Cuir i gcás gur tusa Ursula Briggs. Scríobh litir ghairid (thart fá 50 focal) chuig d'aintín ag inse di go bhfuil jab nua agat agus go mbeidh tú ag bogadh go Baile Átha Cliath agus gur mhaith leat stopadh aici.

ii) Scríobh cúig abairt (nó thart fá 50 focal) fán turas a rinne Tomás Briggs agus a bhean Síle thart ar Éirinn go díreach i ndiaidh a bpósta.

- Tuilleadh achmhainní
- Ganntanas banaltraí
- Tuilleadh dochtúirí
- Liostaí feithimh

Bord Sláinte agus Seirbhísí Sóisialta an Lagáin

Mhaígh Rúnaí an Bhoird, ag an phreasagallamh ...

Aistriúchán agus triail tuigbheála 19

(i) Aistrigh an sliocht a leanas go Béarla.

Moill ar phlean straitéise Bhord Sláinte agus Seirbhísí Sóisialta an Lagáin

D'eisigh Rúnaí Bhord Sláinte agus Seirbhísí Sóisialta an Lagáin ráiteas inné maidir le todhchaí sholáthar seirbhísí sláinte i gcathair Bhéal Feirste agus sa cheantar máguaird. Bhíothas ag súil i dtús ama go bhfoilseofaí plean straitéise an Bhoird ina iomláine inné (an lá deireanach de Mhí Mhárta) ach níorbh fhéidir sin a dhéanamh ar an ábhar go bhfuil mionfhadhb nó dhó le réiteach go fóill sula mbeifear ábalta an cháipéis oifigiúil a fhoilsiú. Mar sin féin, mhaígh Rúnaí an Bhoird, ag an phreasagallamh in Óstán an Europa, i gceartlár Bhéal Feirste, gur chóir go bhfeicfeadh an plean straitéise solas an lae i gceann coicíse ar a dhéanaí.

'Is oth liom a rá nach bhfuiltear ábalta an leagan foilsithe den tuarascáil seo a chur faoi bhur mbráid faoi mar a bhí beartaithe don lá inniu, ach gealltar daoibh go sárófar na fadhbanna beaga seo gan mhoill. Cuimhnítear, a thuairisceoirí, gur plean chúig mblian atá i gceist anseo agus go bhfuil dhá bhliain de thaighde taobh thiar d'ullmhú an phlean chéanna. Má chuirtear an mhoill ghairid seo sa chomhthéacs ghinearálta sin táthar dóchasach go maithfear dúinn an síneadh beag ama seo. Idir an dá linn, is mian liomsa, thar ceann an Bhoird, cuid de mholtaí an choiste stiúrtha a lua libh:

- Tá géarghá le tuilleadh acmhainní agus airgid chun go reáchtálfar an tseirbhís sláinte ar bhealach phroifisiúnta agus éifeachtach sna cúig bliana atá amach romhainn. Cé gur (h)ardaíodh an maoiniú de réir ráta an bhoilscithe, ní leor an figiúr seo mar gheall ar an ardú shubstainteach atá ag teacht ar líon lucht an phinsin sa phobal. Éilíonn an Bord go ndéanfaidh an Rialtas athmhachnamh ar chúrsaí maoinithe ar shlí níos réadúla agus deich faoin chéad sa bhreis, ar a laghad, a chur leis an bhuiséad.

- Tá ganntanas mór banaltraí orainn i láthair na huaire ach lainseálfar feachtas nua i rith an tsamhraidh le níos mó daoine óga a mhealladh i dtreo ghairm na banaltrachta. Mar chéimeanna praiticiúla san fheachtas seo beidh ardú tuarastail agus méadú i laethanta saoire i gceist. Comh maith leis sin, déanfar iarracht banaltraí cáilithe a d'éirigh as a bpost a thabhairt ar ais chuig na bardaí. Tá taithí na ndaoine seo an-luachmhar agus tairgfear bónais suas go trí mhíle punt sa bhliain do na hiarbhanaltraí, ag brath ar a gcáilíochtaí.

- Ceapfar níos mó dochtúirí ó thus na bliana cánach agus gearrfar siar fosta ar líon na n-uaireanta fada a oibríonn ábhair dhochtúirí. Ní bheidh cead feasta ag ábhar dochtúra ar bith bheith ag obair níos mó ná caoga uair sa tseachtain.

- Aithníonn agus admhaíonn an Bord go bhfuil na liostaí feithimh i bhfad rófhada. San am i láthair, mar shampla, bíonn ar othair fanacht ceithre mhí dhéag, ar an mheán, d'obráidí mar sheach-chonair chroí nó mar mhalartú scorróige; tá fúinn an t-achar feithimh a ghiorrú a oiread agus is féidir agus a bhaint anuas go sé mhí i bhformór na gcásanna.

Níor fhan an Rúnaí le ceisteanna a fhreagairt ón phreas mar dúirt sé go raibh cruinniú práinneach aige den choiste airgeadais an tráthnóna sin. Mar fhocal scoir, dúirt sé go mbeadh áiméar ag an phreas a rogha ceisteanna a chur ag lainseáil oifigiúil an phlean straitéise i gceann chúpla seachtain.

(ii) Léigh an sliocht thuas arís agus freagair na ceisteanna thíos.

Roinn A

Tabharfar níos mó marcanna dóibh siúd a fhreagróidh na ceisteanna ina bhfocail féin in áit a bheith ag baint frásaí nó téarmaí go díreach amach as an tsliocht.

1 Cén t-oifigeach de chuid Bhord Sláinte agus Seirbhísí Sóisialta an Lagáin a labhair leis an phreas inné?
2 Cad é ab ábhar don cháipéis a bhí á plé aige?
3 Cad é a léiríonn nach teoranta do chathair Bhéal Feirste amháin a bhí an plean seo?
4 Cad é an dáta ar a rabhthas ag súil le foilsiú an phlean straitéise?
5 Cén foirgneamh ar tharla an preasagallamh seo ann?
6 Cá háit a bhfuil an foirgneamh seo suite?
7 An bhfoilseofar an doiciméad seo roimh thús Mhí na Bealtaine, de réir scála ama an Rúnaí?
8 An raibh brón ar an Rúnaí fán mhoill a bhí ar fhoilsiú an phlean straitéise?
9 Cad é an gealltanas a thug an Rúnaí don lucht éisteachta?
10 Cá mhéad ama a caitheadh ag ullmhú don chaipéis seo?
11 Ar thug an Rúnaí achoimre ar phríomhchonclúidí an phlean?
12 Cad é an dá phríomhrud a bhí ag teastáil chun an tseirbhís a reáchtáil?
13 Cad chuige, i mbarúil an Bhoird, nár leor méadú maoinithe de réir ráta an bhoilscithe?
14 Cá mhéad sa bhreis a bhí an Bord a iarraidh ar bhuiséad an Rialtais?
15 Cad é na straitéisí a úsáidfear d'fhonn níos mó daoine óga a mhealladh chuig gairm na banaltrachta?
16 Conas a mheallfar iarbhanaltraí ar ais chuig na hotharlanna?
17 An bhfostófar tuilleadh dochtúirí ó thus na bliana cánach?
18 Cén uasteorainn a chuirfear le huaireanta oibre i gcás scoláirí atá ag foghlaim a gceirde mar dhochtúirí?
19 An bhfuil an Bord sásta le staid láithreach na liostaí feithimh?
20 An minic a chaithfeas (= a chaithfidh) othair fanacht níos mó ná bliain le hobráidí áirithe?
21 Má théann ag an Bhord a sprioc a bhaint amach, maidir leis na liostaí feithimh a ghiorrú, cad é an t-achar feithimh a bhainfear, ar

an mheán, de na liostaí seo i gcás obráid mar sheach-chonair chroí?

22 Cad chuige nárbh fhéidir leis an Rúnaí fanacht le ceisteanna ag deireadh an phreasagallaimh?

23 Cad é an gealltanas a thug an Rúnaí don phreas maidir le ceisteanna amach anseo?

Roinn B

1 Scríobh ar dhóigh eile na codanna a bhfuil líne fúthu sna habairtí seo a leanas. Bain úsáid as focail atá sa tsliocht thuas:

1 Níor thug rúnaí an chumainn iascaireacta ceadúnas amach do dhuine ar bith nach raibh ina bhall.

2 Caithfimid roinnt airgid a chur i leataobh don am atá amach romhainn.

3 Is breá liom Marseille agus an tír thart timpeall air.

4 Bhí deacracht bheag agam le giaranna an chairr sin.

5 Tá an múinteoir sin an-éifeachtach ag socrú argóintí idir páistí.

6 'Bí ar ais anseo ar a sé ar an chuid is moille,' arsa an mháthair lena mac.

7 Is bocht léi do chás ach, ar an drochuair, níl neart ar bith aici air.

8 Ba mhian liom na pointí seo a chur os a chomhair.

9 Thug sé a fhocal dúinn nach n-imeodh sé sula gcríochnódh sé an obair.

10 Ní bhuailfear Pól sa rás sin mar nach bhfuil an dara duine sa scoil atá comh gasta leis.

11 Níl ceannaire an cheardchumainn an-mhuiníneach fá thodhchaí na monarchan.

12 Tá riachtanas mór le smaointe úra má tá an t-ionad spóirt seo ag dul a mhairstean.

13 Caithfimid feidhmiú de réir ár gcumais.

14 Iarrann an dlíodóir sin a gcearta dá chliaint i gcónaí.

15 Cé nach n-aontaím leis go hiomlán creidim go bhfuil cuid den cheart aige ar dhóigh.

16 Tá easpa mhór oibre ar an cheantar seo agus bíonn ar na daoine óga dhul ar imirce.

17 Seoladh an leabhar sin san iarsmalann Dé Sathairn seo a chuaigh thart.

18 An bhfuil tú ag dul chuig an aerfort de sheans ar bith?
19 Fostófar rúnaí eile sa scoil sin ar an bhliain seo chugainn.
20 Chosain an léine sin leithchéad punt.
21 Bíonn ar bhanaltra aire a thabhairt do dhaoine breoite.
22 Tá pian i gcromán na seanmhná sin agus is doiligh di siúl.
23 Sílim go bhfuil rún acu fanacht go gcríochnaítear an obair ina hiomláine.
24 An dtiocfadh leatsa déileáil leis an litir sin, le do thoil, a Pheadair?

2 Cuir gach briathar a bhfuil líne faoi sna sleachta seo a leanas sa mhodh choinníollach:

i) Má chuirtear an mhoill ghairid seo sa chomhthéacs ghinearálta sin táthar dóchasach go maithfear dúinn an síneadh beag ama seo.
ii) Ceapfar níos mó dochtúirí agus gearrfar siar fosta ar líon na n-uaireanta fada.
iii) Aithníonn agus admhaíonn an Bord go bhfuil na liostaí feithimh i bhfad rófhada.

3 Cuir na codanna a bhfuil líne fúthu sna habairtí seo a leanas san uimhir iolra:

a) Mhaígh Rúnaí an Bhoird, ag an phreasagallamh.
b) Níltear ábalta an leagan foilsithe den phlean seo a chur faoi bhur mbráid.

Cuir na codanna a bhfuil líne fúthu sna habairtí seo a leanas san uimhir uatha:

c) Sárófar na fadhbanna beaga seo gan mhoill.
d) Tairgfear bónais do na hiarbhanaltraí.
e) Tá na liostaí feithimh i bhfad rófhada.

4 Líon an bhearna i ngach ceann de na habairtí seo a leanas le focal cuí as an téacs:

1 Ghlac na gardaí ____________ ón fhinné a chonaic an timpiste.
2 B'éigean don údar sin cuid mhór ___________ a dhéanamh leis an leabhar sin a scríobh.
3 Níor shíl mé a mhór den ____________ sa bhialann sin.

4 Tá ___________ ar siúl ag Síocháin Ghlas leis na míolta mara a shábháil.
5 An bhfuil Máirtín ____________ mar fhiaclóir go fóill? Níl, tá bliain eile traenála le déanamh aige.
6 Caithfidh mé a iarraidh ar mo chuntasóir cuidiú a thabhairt domh m'fhoirm _____________ a líonadh isteach.
7 _____________ ciaróg ciaróg eile.
8 Tá teachtaireacht _____________ agam don dochtúir.

5 Déan cur síos ar na foirmeacha de na briathra a leanas a bhfuil líne fúthu.

m.sh. *glanann sé* = an tríú pearsa fhirinscneach, uimhir uatha, (foirm neamhspleách) den aimsir ghnáthláithreach den bhriathar *glan/glanadh*.

(a) go bhfoilseofaí plean an Bhoird
(b) níorbh fhéidir seo a dhéanamh
(c) gealltar daoibh
(d) Cuimhnítear, a thuairisceoirí
(e) táthar dóchasach
(f) Éilíonn an Bord
(g) Ceapfar níos mó ...
(h) dúirt sé

6 Déan cur síos ar thuiseal, uimhir, dhíochlaonadh agus inscne na n-ainmfhocal a leanas a bhfuil líne fúthu.

m.sh. *lár an bhóthair* = an tuiseal ginideach, uimhir uatha, den ainmfhocal *bóthar*, an chéad díochlaonadh, firinscneach.

(a) an plean straitéise
(b) Cuimhnítear, a thuairisceoirí
(c) i dtreo ghairm na banaltrachta
(d) ar líon na n-uaireanta
(e) san am i láthair
(f) an t-achar feithimh

Roinn C

Saorchumadóireacht

Tabharfar marcanna níos airde dóibh siúd a bhainfeas úsáid as a gcuid focal féin in áit frásaí nó téarmaíocht a bhaint amach as an tsliocht thuas.

i) Scríobh cúig abairt (nó thart fá 50 focal) fá na hathruithe a chuirfeá féin i bhfeidhm le caighdeán maireachtála pinsinéirí a ardú nó a fheabhsú.

ii) Scríobh cúig abairt (nó thart fá 50 focal) fá ghné ar bith de shaoirse an phreas.

Tugadh iomlán na bpaisinéirí go hOtharlann Chúil Raithin.

Aistriúchán agus triail tuigbheála 20

(i) Aistrigh an sliocht a leanas go Béarla.

Móréacht ar muir:
Tugtar tarrtháil ar *La Belle France III* díreach in am!

Tugadh tarrtháil aréir ar fhoireann báid a bhí i gcontúirt a mbáite ar Shruth na Maoile. Bhí triúr fear, beirt bhan agus páiste amháin ar bord *La Belle France III* nuair a polladh a taobh ar charraig a bhí faoi thonn. Is é soitheach tarrthála Phort Rois a d'fhreagair an scairt SOS ar cúig i ndiaidh a haon déag aréir agus bhí an duine deireanach bainte den bhád acu i dtrátha leath i ndiaidh a haon déag. Is cosúil gur tugadh tarrtháil ar na paisinéirí seo díreach in am nó deir ár dtuairisceoir áitiúil linn go ndeachaigh an bád seoltóireachta go grinneall ceathrú uaire i ndiaidh na tarrthála!

Dúirt Hector Wilson, caiftín shoitheach tarrthála Phort Rois, go raibh bród as cuimse air as an chúigear comrádaí eile a bhí ina chuideachta ar an tsoitheach aréir. 'Cuireann na mairnéalaigh óga seo de chuid Gharda an

Chósta a mbeatha féin i gcontúirt lá is oíche, geimhreadh is samhradh, mín garbh an fharraige. Ach déanann siad seo go fonnmhar cróga agus ní chluintear casaoid uathu in am ar bith. Molaim go spéir iad.' Lean an tUasal Wilson air ag rá gur mhór an gar go bhfuair Stáisiún Tarrthála Phort Rois bád acmhainneach, gasta, nua-aimseartha cúpla bliain ó shin mar ach ab é sin go raibh sé cinnte dearfa de go gcaillfí na daoine bochta seo aréir.

'Dá mbeimis ag iarraidh dhul amach sa tseanbhád ní bhainfimis *La Belle France III* amach in am. Comh maith leis sin, chuidigh an radar atá ar an tsoitheach úr linn iad a aimsiú in achar an-ghairid agus is iad an luas agus an cruinneas an dá ní is tábhachtaí sna gnaithí seo. Is mian liomsa, thar ceann Gharda Cósta Phort Rois, buíochas a ghabháil le gach duine sa phobal a thug tacaíocht airgid dúinn. Cé gur chosain an bád nua tarrthála pingin mhaith airgid cad é an luach is féidir a chur ar bheatha an duine?'

Is as an Fhrainc iomlán dá raibh ar bord *La Belle France III* ach bean amháin de thógáil na Spáinne. Tugadh iomlán na bpaisinéirí go hOtharlann Chúil Raithin ach ligeadh gach duine de na daoine fásta amach ar maidin. Coinneofar an páiste istigh oíche nó dhó eile ach beifear ag súil lena ligint amach roimh dheireadh na seachtaine. Ghabh caiftín *La Belle France III*, Simon Lambert, buíochas ó chroí le gach duine a bhí páirteach sa tarrtháil.

'Seo an eachtra is scanrúla a d'éirigh domhsa le mo sholas,' ar seisean agus na deora leis. 'Shíl mé go raibh deireadh linn. Bhí na tonnta comh hard le teach agus bhí gála fhórsa a naoi ag séideadh. Ní féidir moladh ard go leor a thabhairt don Chaiftín Wilson agus dá fhoireann. Is iad na daoine is cróga agus is cineálta iad dár casadh ormsa riamh. Caithfear focal a rá fosta fá na dochtúirí agus fá na banaltraí in Otharlann Chúil Raithin. Ní dhéanfaimid dearmad go deo oraibh, a chairde dílse. Go raibh céad míle maith agaibh uilig go léir. Go dtuga Dia saol agus sláinte daoibh.'

Nuair a cuireadh ceist ar an Uasal Lambert an rachadh sé ar ais ar an fharraige dúirt sé go mb'fhéidir go rachadh lá inteacht amach anseo. Mar sin féin, dúirt sé gur dóiche gur ar eitleán a rachadh siad chun an bhaile an iarraidh seo.

(ii) Léigh an sliocht thuas arís agus freagair na ceisteanna thíos.

Roinn A

Tabharfar níos mó marcanna dóibh siúd a fhreagróidh na ceisteanna ina bhfocail féin in áit a bheith ag baint frásaí nó téarmaí go díreach amach as an tsliocht.

1 Cad é an damáiste a rinneadh do *La Belle France III*?
2 Cá mhéad duine a bhí uirthi?
3 Cén bád a thug tarrtháil ar phaisinéirí *La Belle France III*?
4 Cad é an t-am a ndeachaigh *La Belle France III* go grinneall?
5 Cé hé caiftín shoitheach tarrthála Phort Rois?
6 Cá mhéad duine a sheol amach as cuan Phort Rois uirthi?
7 Cad é a léiríonn go raibh meas ag caiftín an tsoithigh tarrthála seo ar a fhoireann?
8 Cén cineál aimsire a dtig leis an bhád tarrthála seoladh inti?
9 Cá fhad atá an bád nua seo ag Garda Cósta Phort Rois?
10 An measann an tUasal Wilson go sroichfeadh an seanbhád tarrthála a bhíodh in úsáid i bPort Rois *La Belle France III* in am?
11 Taobh amuigh den luas, cad é eile a chuidigh le soitheach tarrthála Phort Rois *La Belle France III* a aimsiú?
12 Cad é mar a chuir an tUasal Wilson in iúl gur shíl sé a mhór d'achan duine a chruinnigh airgead don tsoitheach nua?
13 An Eorpaigh uilig a bhí ar *La Belle France III*?
14 Cá háit ar chaith na paisinéirí an oíche aréir?
15 Cad é a léiríonn go raibh tocht ar Simon Lambert?
16 An raibh eagla a bháis air?
17 Cad chuige ar éirigh an fharraige comh garbh sin?
18 Cad é an moladh a thug an Caiftín Lambert don Chaiftín Wilson?
19 An mbeidh cuimhne bhuan ag Simon ar fhoireann Otharlann Chúil Raithin?
20 Cad é mar a bhainfeas foireann *La Belle France III* an baile amach?

Roinn B

1 Scríobh ar dhóigh eile na codanna a bhfuil líne fúthu sna habairtí seo a leanas. Bain úsáid as focail atá sa tsliocht thuas:

1 Cailleadh na páistí thuas ar bharr an chnoic ach <u>sábháladh iad</u> sular thit an sneachta.

2 Tá baol ann go gcuirfear deireadh leis an chlub óige.
3 Briseadh an long agus chuaigh sí go tóin na farraige.
4 Bhí bród ar Phól nuair a toghadh mar chaptaen ar fhoireann na scoile é.
5 Bhí lúcháir ollmhór ar Mháire nuair a fuair sí torthaí a scrúduithe.
6 Bhuail an mac is óige agam le cara nua sa naíscoil agus tá siad iontach mór le chéile.
7 Ar chabhraigh na nótaí sin a thug mé duit leat?
8 Shiúil mé suas agus síos an tsráid sin míle uair ach níorbh fhéidir liom theacht ar an tsiopa bheag sin a luaigh tú liom.
9 Ní dhéanfaidh an píosa adhmaid sin cúis, tá sé róghearr.
10 Tá an fear sin iontach tugtha don ghramadach agus don bheaichte.
11 Ní éireoidh go maith leis an scéim fostaíochta seo mura gcuire an rialtas maoiniú inti.
12 Cá mhéad a bhí ar an charr nua?
13 Níor mhiste linn an teach mór galánta sin a cheannacht ach tá an praghas i bhfad ródhaor.
14 Chroith an t-uachtarán lámh le gach duine a bhí sa tseomra.
15 Thug mé cuairt ar mo mháthair mhór san ospidéal.
16 Ní ligfear an seanduine amach as an ospidéal go raibh (= go mbeidh) biseach air.
17 Ní raibh an coiste ag dréim le scaifte comh mór sin ag an damhsa.
18 Cad é a tharla do do lámh, a Sheáin?
19 Níor léigh mé a leithéid de leabhar i mo shaol.
20 Chreid an tiománaí go raibh an bás aige nuair a d'fhág a charr an bealach mór de bharr an tseaca.
21 Baineadh geit asam nuair a fiafraíodh díom ar mhaith liom seasamh sa toghchán.
22 Tá duine éigin ag iarraidh labhairt leat ar an ghuthán, a Mhicheáil.

2 Cuir gach briathar a bhfuil líne faoi sna sleachta seo a leanas san aimsir fháistineach:

i) Tugadh tarrtháil ar fhoireann báid ar Shruth na Maoile. Bhí triúr fear, beirt bhan agus páiste amháin ar bord. Is é soitheach tarrthála Phort Rois a d'fhreagair an scairt SOS. D'éirigh leo gach duine a shábháil.

ii) Déanann siad seo go fonnmhar, cróga agus ní chluintear casaoid uathu in am ar bith. Molaim go spéir iad.' Lean an tUasal Wilson air ag rá gur mhór an gar go bhfuair Stáisiún Tarrthála Phort Rois bád acmhainneach.

iii) Tugadh iomlán na bpaisinéirí go hOtharlann Chúil Raithin ach ligeadh gach duine de na daoine fásta amach ar maidin.

3 Cuir na codanna a bhfuil líne fúthu sna habairtí seo a leanas san uimhir uatha:

a) Tugadh tarrtháil ar na paisinéirí sin díreach in am.
b) Caithfear focal a rá fosta fá na dochtúirí agus fá na banaltraí.

Cuir na codanna a bhfuil líne fúthu sna habairtí seo a leanas san uimhir iolra:

c) Is é soitheach tarrthála Phort Rois a d'fhreagair an scairt SOS.
d) Deir ár dtuairisceoir áitiúil linn go ndeachaigh an bád go grinneall.
e) Seo an eachtra is scanrúla a d'éirigh domhsa le mo sholas.
f) Coinneofar an páiste istigh.

4 Líon an bhearna i ngach ceann de na habairtí seo a leanas le focal cuí as an téacs:

1 Más mian leat dhul ar _________ eitleáin ní mór duit do phas bordála a bheith leat.
2 Is í an rúnaí a __________ an guthán nuair a scairt mé ar an oifig.
3 Más gaolmhar ní _____________.
4 Is é do _____________, a chara. Tar isteach chun tí.
5 '__________ go mor sibh, a pháistí,' arsa an múinteoir, 'tá an obair seo ar fheabhas.'
6 Tá mé ag ___________ go mór leis na laethanta saoire.
7 Bhí an ghaoth ag ___________ comh láidir sin gur bhain sí an duilliúr den chrann.
8 Fágfaidh mé an eochair faoin mhata duit mar is _________ go mbeidh sé mall ag teacht ar ais anocht duit.

5 Déan cur síos ar na foirmeacha de na briathra a leanas a bhfuil líne fúthu.

m.sh. glanann sé = an tríú pearsa fhirinscneach, uimhir uatha, (foirm neamhspleách) den aimsir ghnáthláithreach den bhriathar glan/glanadh.

(a) Tugadh tarrtháil
(b) ní chluintear casaoid
(c) Molaim go spéir iad
(d) ní bhainfimis
(e) is iad an luas agus an cruinneas
(f) Coinneofar an páiste istigh
(g) Ní dhéanfaimid dearmad
(h) an rachadh sé?

6 Déan cur síos ar thuiseal, uimhir, dhíochlaonadh agus inscne na n-ainmfhocal a leanas a bhfuil líne fúthu.

m.sh. *lár an bhóthair* = an tuiseal ginideach, uimhir uatha, den ainmfhocal *bóthar*, an chéad díochlaonadh, firinscneach.

(a) beirt bhan
(b) den bhád
(c) i ndiaidh na tarrthála
(d) an tUasal Wilson
(e) Bhí na tonnta
(f) a chairde dílse

Roinn C

Saorchumadóireacht

Tabharfar marcanna níos airde dóibh siúd a bhainfeas úsáid as a gcuid focal féin in áit frásaí nó téarmaíocht a bhaint amach as an tsliocht thuas.

i) Cuir i gcás gur tusa athair nó máthair Simon Lambert. Scríobh litir ghairid chuig Hector Wilson nó chuig foireann Otharlann Chúil Raithin ag gabháil buíochais leo.

ii) Scríobh cúig abairt (nó thart fá 50 focal) fá lá a chaith tú cois farraige i d'óige.

Bhronn an tUachtarán dealbh de phailéad agus de scuab óir ar Len Crosshaw.

Aistriúchán agus triail tuigbheála 21

(i) Aistrigh an sliocht a leanas go Béarla.

Bronnadh speisialta ón Uachtarán ar an ealaíontóir chlúiteach Len Crosshaw

Caitheadh fleá agus féasta arú aréir sa Dánlann Náisiúnta i mBaile Átha Cliath in onóir an ealaíontóra chlúitigh, Len Crosshaw. Ní hé seo an chéad ghradam a tugadh dó, ar ndóigh, mar ba mhinic taispeántais dá shaothar ildánach ar fud na cruinne le scór bliain anuas i ndánlanna ar fud na hÉireann, i Londain, i Nua-Eabhrac, san Iodáil, sa Fhrainc, sa Spáinn agus in áiteanna eile nach iad. Áirítear an tUasal Crosshaw go forleathan i measc chriticeoirí ealaíne an domhain mar dhuine de mhórealaíontóirí portráide an fhichiú haois.

Is í Uachtarán na hÉireann a bhí mar óstach ar an ócáid agus bhí breis is ceithre scór duine i láthair idir ealaíontóirí agus chairde Len - a bhean Regina agus a gharmhac óg Nobbie ina measc. Bhí an file Séamas Ó hÉighnigh i measc an tslua agus an dán molta, a scríobh sé in ómós Len, á aithris aige. Is é an cócaire idirnáisiúnta Michael Dean a bhí i mbun an dinnéir. Ina hóráid iarbhéile bhronn an tUachtarán dealbh de phailéad agus de scuab óir ar Len Crosshaw mar aon le turas go hEpernay na Fraince, mar a gcaithfidh sé seachtain ag dul thart ar cheantar an tseaimpéin - an deoch is ansa leis an ealaíontóir. Beidh sé ag stopadh i gcaisleán mar aoi speisialta ag úinéir an chomhlachta Mercier.

Chuir an tUachtarán in iúl don tslua nach é feabhas a chuid ealaíne amháin a thabhaigh an gradam seo don Uasal Crosshaw, mar is cosúil go bhfuil cuid mhór ama caite aige i measc an phobail agus in otharlanna ag tabhairt ceardlanna péintéireachta do dhaoine as gach aoisghrúpa, cúlra agus cumas. Dúirt an tUachtarán gur seoladh litreacha chuici ó scoláirí, dhochtúirí, bhanaltraí agus ó ghrúpaí pobail ar fud an Tuaiscirt agus go ndeachaigh sé i bhfeidhm uirthi féin go pearsanta a mhinice a luadh focail le Len mar: 'meas', 'cineáltas', 'foighid', 'dóchas', 'daonnacht' agus 'gile'.

Is as Lancashire an t-ealaíontóir seo ach tá sé ag cur faoi in Éirinn le tríocha bliain anuas. Is é Contae an Dúin an contae is aoibhne leis sa tír seo agus, cé gurb annamh a bhíonn plé aige le tírdhreach, bhronn sé pictiúr de na Beanna Boirche a phéinteáil sé féin ar an Uachtarán mar bhuíochas as an oíche iontach a bhí aige. Dúirt Len gur mhothaigh sé féin go raibh an t-ádh air go raibh bua na péintéireachta ó bhroinn leis. Ní thiocfadh leis an bua seo a thuigbheáil ná a mhíniú ina iomláine ach, ina dhiaidh sin is uile, mhothaigh sé dualgas an tabhartas seo a rann le daoine eile. 'Ní amharcaim ar an ealaín mar mheán proifisiúnta le hairgead nó le mo bheatha a shaothrú ach mar an bheatha í féin. Ní fhéadfainn bheith beo gan an ealaín - gan sin ná an ceol ná an greann'.

Rinneadh scannánú den ócáid agus taispeánfar buaicphointí na hoíche éachtaí úd a thit amach sa Dánlann Náisiúnta i gclár faisnéise ar shaol agus ar shaothar Len a chraolfar ar RTÉ ar a naoi a chlog oíche Dé Domhnaigh seo chugainn. Moltar duit gan an clár tréitheach seo a chailleadh. Beidh, fosta, 'Aghaidheanna na hÉireann', an taispeántas is deireanaí le Len Crosshaw, le feiceáil ón 24ú Aibreán ar aghaidh i nDánlann Náisiúnta na bPortráidí. Mairfidh an taispeántas seo trí seachtaine. Beidh duisín de na portráidí seo ar fhéilire na bliana seo chugainn agus rachaidh iomlán an bhrabaigh do charthanachtaí éagsúla. Is mór an gar duine mar Len a bheith inár measc agus nár thaga laige ar a láimh ná daille ar a radharc!

(ii) Léigh an sliocht thuas arís agus freagair na ceisteanna thíos.

Roinn A

Tabharfar níos mó marcanna dóibh siúd a fhreagróidh na ceisteanna ina bhfocail féin in áit a bheith ag baint frásaí nó téarmaí go díreach amach as an tsliocht.

1 Cá háit a raibh an béile mór seo ar siúl?
2 Más inniu an Domhnach, cén oíche a raibh an ócáid seo ann?
3 Cad é a ba chionsiocair leis an oíche?
4 An ar na mallaibh a ghnóthaigh Len Crosshaw ainm dó féin mar ealaíontóir?
5 Ainmnigh trí thír ar Mhór-roinn na hEorpa a raibh saothar an Uasail Crosshaw ar taispeáint iontu?
6 Cad é a léiríonn go bhfuil clú idirnáisiúnta agus meas ar Len Crosshaw i ndomhan na healaíne?
7 Cérbh í óstach na hoíche seo?
8 Cá mhéad duine ar cuireadh cuireadh orthu chuig an cheiliúradh seo?
9 An raibh duine ar bith eile de chlann Crosshaw i láthair diomaite de Len é féin?
10 Cad é a rinne an file Séamas Ó hÉighnigh ar an oíche?
11 Cé a bhí mar príomhchócaire?
12 Cad é mar atá a fhios agat nach roimh an bhéile a labhair Uachtarán na hÉireann?
13 Cad é na figiúir a bhí ar an dealbh a tugadh do Len?
14 Ar bronnadh duais ar bith eile ar Len taobh amuigh den dealbh?
15 Cén tír a dtabharfaidh Len cuairt ar feadh seachtaine uirthi?
16 Cén deoch is fearr le Len?
17 Cad é an lóistín a bheas ag Len sa Fhrainc?
18 Taobh amuigh dá scileanna mar ealaíontóir, cad é eile a thabhaigh an gradam seo do Len?
19 Cad é an dóigh ar chuir na grúpaí pobail, dochtúirí, banaltraí agus araile in iúl don Uachtarán go raibh meas acu ar obair Len?
20 Scríobh abairt ag cur síos ar nádúr Len mar dhuine (bain úsáid as **trí** aidiacht ar a laghad).
21 Cén tír inar tógadh an tUasal Crosshaw?
22 Cuntais siar ó inniu agus oibrigh amach cén bhliain ar tháinig Len a chónaí go hÉirinn?
23 An minic a chleachtann Len an tírdhreach mar mheán ealaíne?

24 Cad é an bronntanas a thug Len don Uachtarán?
25 Cén chaoi a léiríonn an téacs go mbraitheann Len go dtagann an ealaín ó dhúchas leis?
26 An smaoiníonn Len gur dó féin amháin an bua atá aige?
27 Cad é mar a d'aithneofá go bhfuil tábhacht leis an ealaín i saol Len ón méid a bhí le rá aige?
28 Cad é an dá ní eile, seachas an ealaín, atá lárnach i saol Len?
29 Cad é mar atá a fhios agat go raibh criú ceamara ag an cheiliúradh?
30 An i lár na seachtaine a chraolfar an clár faisnéise ar Len?
31 Cén mhí a gcuirfear deireadh le taispeántas Len i nDánlann Náisiúnta na bPortráidí?
32 Cad é mar a chuideoidh Len le carthanachtaí ar an bhliain seo chugainn?

Roinn B

1 Scríobh ar dhóigh eile na codanna a bhfuil líne fúthu sna habairtí seo a leanas. Bain úsáid as focail atá sa tsliocht thuas:

1 Bhí cóisir mhór acu Oíche na Seanbhliana.
2 Níorbh annamh an fear sin ag tabhairt amach agus ag gearán.
3 Caithfear a admháil gur duine ilchumasach atá ann.
4 Cuntaistear achan phingin den airgead sula gcuirtear sa bhanc é.
5 Tá aithne leitheadach ar an scríbhneoir sin i measc an phobail.
6 Deirtear gur sa chúigiú céad a tháinig Naomh Pádraig go hÉirinn.
7 Thug sé ochtó punt ar an chóta sin.
8 Níor mhian liom an scéal seo a phlé i bhfianaise strainséirí.
9 Is breá liom gur tugadh an urraim don bhean sin a bhí dlite di.
10 Ba ghnách le Napóileon caint spreagúil thintrí a thabhairt uaidh díreach roimh am an chatha.
11 Molann gach duine a dhúiche féin.
12 Shaothraigh sé na múrtha airgid agus é thall i Meiriceá.
13 Beidh cúrsa drámaíochta ar siúl san amharclann sin Dé Sathairn.
14 Bhí siad ann idir óg agus aosta.
15 Bhí tionchar ag a stíl ar shaothar ealaíontóirí eile.
16 An ndearnadh tagairt don údar sin sa léacht?
17 Bhí díospóireacht fhada againne fán ábhar sin aréir féin.
18 An aithníonn tú duine ar bith sa ghrianghraf seo?
19 Nár mhéanar duitse nach bhfaca sé thú ag teacht isteach duit.

20 Tá an ceol léise ó nádúr.
21 An bhfuil tú ábalta canúintí na Gaeilge a thuiscint?
22 Tá sé d'oibleagáid orm súil a choinneáil ar na páistí go gcruinní a dtuismitheoirí i ndiaidh na scoile iad.
23 Thig liom cuid de mo lón a roinnt leat. Tá barraíocht ann domhsa.
24 Dearc chugat mar a dhearcas tú uait!
25 Is peileadóir gairmiúil anois é.
26 Ní bheinn ábalta an teach a aithint ar chor bith anois ó cuireadh deis air.
27 Ní maith liom amharc ar chluiche sacair ó thus go deireadh. Is fearr liom amharc ar na príomheachtraí ar an chlár *Cluiche an Lae*.
28 Chuaigh an clár sin amach ar an aer anuraidh, más buan mo chuimhne.
29 An é sin Peadar atá ag teacht inár dtreo?
30 Is leabhar sármhaith é *Foclóir Gaeilge-Béarla* Néill Uí Dhónaill.
31 Leanfaidh an aimsir mhaith ar aghaidh go deireadh na seachtaine.
32 D'imigh an scaifte uilig amach go proinnteach le béile a bheith acu.

2 Cuir gach briathar a bhfuil líne faoi sna sleachta seo a leanas san aimsir láithreach:

i) Caitheadh fleá agus féasta sa Dánlann.
ii) Dúirt an tUachtaran nach é feabhas a chuid ealaíne amháin a thabhaigh an gradam seo don Uasal Crosshaw.
iii) Rinneadh scannánú den ócáid agus taispeánfar na buaicphointí ar an teilifís.
iv) Mairfidh an taispeántas seo trí seachtaine.
v) Nár thaga laige ar a láimh.

3 Cuir na codanna a bhfuil líne fúthu sna habairtí seo a leanas san uimhir iolra:

a) Beidh sé ag stopadh i gcaisleán mar aoi speisialta ag úinéir an chomhlachta *Mercier*.
b) Is as Lancashire an t-ealaíontóir seo ach tá sé ag cur faoi in Éirinn.
c) Moltar duit gan an clár tréitheach seo a chailleadh.

Cuir na codanna a bhfuil líne fúthu sna habairtí seo a leanas san uimhir uatha:

d) Dúirt an tUachtarán gur seoladh litreacha chuici ó scoláirí, dhochtúirí, bhanaltraí agus ó ghrúpaí pobail.

4 Líon an bhearna i ngach ceann de na habairtí seo a leanas le focal cuí as an téacs:

1 Is dóiche gurb é an Louvre an ____________ is cáiliúla atá i bPáras.
2 Bíonn cuid mhór aer ___________ ag obair ag Aer Lingus.
3 'Mothaím go bhfuil __________ ag teacht ar mo chuid Gaeilge,' arsa an foghlaimeoir.
4 Faigheann ___________ fortacht.
5 Cuairt ghearr agus a déanamh go ____________.
6 Is gnách go gcoinnítear an lasta i ___________ na loinge.
7 Cuir an ________ ar ais ar an bhocsa stáin nó éireoidh an tae tais.
8 Bíonn cuid mhór ______________ ag cruinniú airgid ar son an Tríú Domhan.

5 Déan cur síos ar na foirmeacha de na briathra a leanas a bhfuil líne fúthu.

m.sh. *glanann sé* = an tríú pearsa fhirinscneach, uimhir uatha, (foirm neamhspleách) den aimsir ghnáthláithreach den bhriathar *glan/glanadh*.

(a) Áirítear an tUasal Crosshaw
(b) Is í Uachtarán na hÉireann
(c) bhronn sé
(d) Ní amharcaim
(e) Ní fhéadfainn
(f) a chraolfar ar RTÉ
(g) Moltar duit
(h) Nár thaga laige

6 Déan cur síos ar thuiseal, uimhir, dhíochlaonadh agus inscne na n-ainmfhocal a leanas a bhfuil líne fúthu.

m.sh. *lár an bhóthair* = an tuiseal ginideach, uimhir uatha, den ainmfhocal *bóthar*, an chéad díochlaonadh, firinscneach.

(a) leis an ealaíontóir
(b) go raibh an t-ádh air
(c) Aghaidheanna na hÉireann
(d) Dánlann Náisiúnta na bPortráidí
(e) iomlán an bhrabaigh
(f) ar a láimh

Roinn C

Saorchumadóireacht

Tabharfar marcanna níos airde dóibh siúd a bhainfeas úsáid as a gcuid focal féin in áit frásaí nó téarmaíocht a bhaint amach as an tsliocht thuas.

i) Scríobh cúig abairt (nó thart fá 50 focal) fá dhuine - seachas ealaíontóir - a bhfuil gradam poiblí tuillte aige/aice. Mínigh cad chuige a measann tú go bhfuil agus cuir síos ar an dóigh ar mhaith leat aitheantas a thabhairt dó/di.

ii) Scríobh cúig abairt (nó thart fá 50 focal) fán chóisir ab fhearr (nó a ba mheasa) a raibh tú riamh uirthi.

Rinneadh slad ar shiopa seodóra i lár na cathrach go mall aréir.

Aistriúchán agus triail tuigbheála 22

(i) Aistrigh an sliocht a leanas go Béarla.

Slad ar shiopa seodóra i lár na cathrach

Rinneadh slad ar shiopa seodóra i lár na cathrach go mall aréir nó go luath maidin inniu. Gearradh na sreangáin leictreachais taobh amuigh den tsiopa agus ansin briseadh isteach fríd an doras tosaigh. Tarraingíodh na cuirtíní agus tosaíodh ar an ghadaíocht. Dúradh lenár dtuairisceoir gur goideadh cuid mhór fáinní, uaireadóirí agus rudaí luachmhara eile.

Dúirt úinéir an tsiopa, an tUasal Cathal Ó Gallchóir, gur cailleadh fiche míle punt d'earraí, gan trácht ar an damáiste a rinneadh don fhoirgneamh féin. Ní rabhthas cinnte cé a bhí taobh thiar den tslad seo ach chonacthas carr bán ag tiomáint síos agus suas an tsráid go díreach roimh am druda arú inné. Níor cuireadh suim ar bith sa dream a bhí sa charr mar gur measadh gur turasóirí a bhí iontu a chaill a mbealach. Ach creidtear anois go raibh páirt ag lucht an chairr seo sa tslad de thairbhe gur glacadh cúpla grianghraf den tsiopa sular druideadh é agus bhíothas ag smaoineamh gur baineadh úsáid as na grianghraif sin i bpleanáil an tslada.

Nuair a cruinníodh a raibh le fáil ag na gadaithe sa phríomhsheomra, chuathas isteach sa tseomra cúil. Ar an dea-uair don Uasal Ó Gallchóir, ní dheachthas rófhada leis an chuartú sa tseomra seo agus níor leagadh lámh ar an taisceadán. Bhí an taisceadán suite sa choirnéal ach is cosúil nach bhfacthas sa dorchadas é!

Dúirt duine nó beirt atá ina gcónaí sa cheantar gur chualathas carr ag séideadh a adhairce i dtrátha a haon ar maidin ach glacadh leis, ag an tús, gur tacsaí a bhí ann. Ach nuair a leanadh ar aghaidh leis an challán tuigeadh do na comharsanaigh go raibh rud inteacht cearr. Dúradh go bhfacthas beirt fhear ina rith amach as an tsiopa agus mála á iompar ag gach duine acu. Tógadh clog mór amach as an tsiopa fosta ach gur ligeadh dó titim ar an tsráid nuair a lasadh solas in árasán os cionn an tsiopa. Briseadh an clog ina smionagar, rud a chuir brón as cuimse ar an Uasal Ó Gallchóir a mhaígh go ndearnadh an clog céanna san Ostair dhá chéad bliain ó shin agus nach raibh an dara ceann in Éirinn mar é. 'Guím Dia go dúthrachtach go mbéarfar ar na bithiúnaigh seo gan mhoill mar is leor a bhfuil de scrios déanta acu i mo shiopa féin,' arsa an tUasal Ó Gallchóir agus tocht ina ghlór.

Nuair a scanraíodh an bheirt a bhí i mbun oibre, rinneadh fead ghlaice agus scairteadh ar fhear darbh ainm 'Jimbo'. Tháinig carr bán thart an coirnéal ansin agus léim an bheirt eile isteach ann agus as go brách leo. Thángthas ar an charr sin cúpla míle taobh amuigh den bhaile. In ainneoin gur dódh an carr seo sular tréigeadh é, fuarthas ceann amháin de na málaí ina luí ar an bhealach mhór cúpla céad slat uaidh. Tabharfar an mála sin chun na beairice go ndéanfar scrúdú air.

Tá na gardaí ag iarraidh ar dhuine ar bith a chonaic nó a chuala rud ar bith amhrasach, idir a deich aréir agus a hocht ar maidin, scairt a chur orthu láithreach bonn chuig an stáisiún áitiúil. Táthar ag súil go mbéarfar ar an dream seo sula dtéitear i mbun gnó arís. Bhéarfar (= Tabharfar) suim airgid do dhuine ar bith a chuideoidh leis na gardaí na gadaithe seo a thabhairt os comhair na cúirte.

(ii) Léigh an sliocht thuas arís agus freagair na ceisteanna thíos.

Roinn A

Tabharfar níos mó marcanna dóibh siúd a fhreagróidh na ceisteanna ina bhfocail féin in áit a bheith ag baint frásaí nó téarmaí go díreach amach as an tsliocht.

1 Cá háit a bhfuil an siopa seodóra a luadh sa scéal seo suite?
2 Cad é a rinne na gadaithe taobh amuigh ar an tsráid sular bhris siad isteach sa tsiopa?
3 Cad é mar a d'éirigh leo fáil isteach sa tsiopa?
4 Cad é a rinne na gadaithe taobh istigh den tsiopa go díreach sular thosaigh siad ar an ghadaíocht?
5 Cad chuige a ndearna siad sin, i do bharúil?
6 Ainmnigh **dhá** rud a goideadh as an tsiopa.
7 Cé leis an siopa seo?
8 Cá mhéad míle punt d'earraí a goideadh as an tsiopa?
9 Má foilsíodh an t-alt ar an pháipéar Dé Luain, cén lá den tseachtain a bhfacthas an carr amhrasach ar an tsráid?
10 Cad é an dath a bhí ar an charr seo?
11 Cad é mar atá a fhios agat nach ar maidin a thiomáin na gadaithe thart leis an tsiopa?
12 Cad é an úsáid a bhain na sladóirí as na grianghraif a tharraing siad?
13 Nuair a bhí na gadaithe réidh leis an phríomhsheomra cá háit a ndeachaigh siad ansin?
14 Cad chuige nár thug na gadaithe an taisceadán faoi deara?
15 Cad é a tharraing aird na gcomharsanach ar na gadaithe le linn don tslad a bheith ag dul ar aghaidh?
16 Cá mhéad duine a bhí sa bhaicle seo?
17 Cad chuige ar lig na gadaithe don chlog titim?
18 Cán fáth nárbh fhurasta an clog a athchóiriú?
19 Cén tír a ndearnadh an clog inti? (= Cén tír ina ndearnadh an clog?)
20 Cad é mar a chuir duine de na gadaithe in iúl don tiománaí go raibh siad ag iarraidh imeacht?
21 Cad é an leid a thug na gadaithe uathu fán tiománaí?
22 Cad é a rinne na gadaithe leis an charr sular thréig siad é?
23 Cad é an dóigh ar mhaith leis na gardaí daoine, a bhfuil aon eolas fán tslad acu, dhul i dteagmháil leo?
24 Cén luach saothair a bheas ag duine ar bith a chabhróidh leis na gardaí an bhaicle rógairí seo a ghabháil?

Roinn B

1 Scríobh ar dhóigh eile na codanna a bhfuil líne fúthu sna habairtí seo a leanas. Bain úsáid as focail atá sa tsliocht thuas:

1 Briseadh isteach in árasán mo charad aréir.
2 Tá cúpla duine lasmuigh, imigh amach agus tabhair isteach iad.
3 Sciobadh mo chóta uaim ag an chóisir sin.
4 Cad é a ba chiontaí leis an agóid sin?
5 Níor chuir sé sonrú ar bith sna strainséirí sin.
6 Bhíothas den bharúil gur múinteoir scoile a bhí ann.
7 Cén chuid de Dhún na nGall arbh as í?
8 Dúnadh an siopa ar a sé a chlog.
9 Ar bhain tú feidhm as ríomhphost riamh?
10 Níor baineadh don sparán sin.
11 Tchífidh mé (= Feicfidh mé) timpeall a hocht a chlog thú.
12 Sin dís nach raibh aithne ná eolas riamh agam orthu.
13 Is fearr teitheadh maith ná drochsheasamh.
14 Tá an pláta ina luí ar an urlár ina smidiríní.
15 Bhí bród an domhain ar an mhúinteoir asam.
16 Baineadh biongadh astu nuair a chuala siad an scairteach.
17 Rith an gadaí amach as an teach agus thug sé na bonnaí as.
18 Tá an teach ar imeall an bhóthair.
19 Níor airigh sí an t-amhrán sin riamh.
20 Gheofar greim ar an bhaicle sin luath nó mall.

2 Cuir gach briathar a bhfuil líne faoi sna sleachta seo a leanas sa mhodh choinníollach.

i) Gearradh na sreangáin leictreachais taobh amuigh den tsiopa agus ansin briseadh isteach fríd an doras tosaigh. Tarraingíodh na cuirtíní agus tosaíodh ar an ghadaíocht.

ii) Nuair a cruinníodh a raibh le fáil ag na gadaithe sa phríomhsheomra chuathas isteach sa tseomra cúil. Ar an dea-uair ní dheachthas rófhada leis an chuartú sa tseomra seo agus níor leagadh lámh ar an taisceadán.

iii) Tabharfar an mála sin chun na beairice go ndéanfar scrúdú air.

3 Cuir na codanna a bhfuil líne fúthu sna habairtí seo a leanas san uimhir iolra:

a) Rinneadh slad ar shiopa seodóra i lár na cathrach aréir.
b) Bhí an taisceadán suite sa choirnéal ach is cosúil nach bhfacthas sa dorchadas é!
c) Tógadh clog mór amach as an tsiopa fosta ach ligeadh dó titim.

Cuir na codanna a bhfuil líne fúthu sna habairtí seo a leanas san uimhir uatha:

d) Goideadh fáinní, uaireadóirí agus rudaí luachmhara eile.
e) Baineadh úsáid as na grianghraif seo i bpleanáil an tslada.
f) Tuigeadh do na comharsanaigh go raibh rud inteacht cearr.

4 Líon an bhearna i ngach ceann de na habairtí seo a leanas le focal cuí as an téacs:

1 Chuir sé a ainm chun ____________ don toghchán.
2 Tugadh ______________ de chuid an nuachtáin sin os comhair na cúirte as alt leabhlach a scríobh sé.
3 An raibh tú ____________ i gConamara ar do laethanta saoire?
4 An dtabharfá ___________ chuidithe domh le do thoil?
5 Ní thiocfadh liom néal codlata a fháil aréir mar go raibh stoirm fhiánta ann agus an ghaoth ag ___________ go láidir.
6 Cumadh an t-amhrán *Edelweiss* san _____________.
7 Tá siad ina gcónaí sa Spáinn le daichead bliain anuas agus ní mó ná go dtiocfaidh siad ar ais go hEirinn arís go ________.
8 Is fearr cara sa chúirt ná _________ sa sparán.

Tógadh clog mór amach as an tsiopa fosta.

5 Déan cur síos ar na foirmeacha de na briathra a leanas a bhfuil líne fúthu.

m.sh. *glanann sé* = an tríú pearsa fhirinscneach, uimhir uatha, (foirm neamhspleách) den aimsir ghnáthláithreach den bhriathar *glan/glanadh*.

(a) Gearradh na sreangáin
(b) Ní rabhthas cinnte
(c) creidtear anois
(d) ní dheachthas rófhada
(e) chualathas carr
(f) Guím Dia
(g) Táthar ag súil
(h) Tabharfar suim airgid

6 Déan cur síos ar thuiseal, uimhir, dhíochlaonadh agus inscne na n-ainmfhocal a leanas a bhfuil líne fúthu.

m.sh. *lár an bhóthair* = an tuiseal ginideach, uimhir uatha, den ainmfhocal *bóthar*, an chéad díochlaonadh, firinscneach.

(a) na sreangáin leictreachais
(b) Tarraingíodh na cuirtíní
(c) An tUasal Cathal Ó Gallchóir
(d) don fhoirgneamh
(e) in Éirinn
(f) os comhair na cúirte

Roinn C

Saorchumadóireacht

Tabharfar marcanna níos airde dóibh siúd a bhainfeas úsáid as a gcuid focal féin in áit frásaí nó téarmaíocht a bhaint amach as an tsliocht thuas.

i) Scríobh cúig abairt (nó thart fá 50 focal) fá rud ar bith a chaill tú riamh nó fá thaisme ar bith a bhain duit riamh.

ii) Scríobh cúig abairt (nó thart fá 50 focal) agus déan iarracht críoch a chur leis an scéal *Slad ar shiopa seodóra i lár na cathrach*.

An Briathar sa Ghaeilge: Achoimre

Le cur síos ar fhoirmeacha éagsúla an bhriathair sa Ghaeilge (.i. le 'parsáil' a dhéanamh) caithfear smaoineamh ar roinnt príomhrudaí.

§1 an fhoirm ghníomhach:
Más foirm ghníomhach den bhriathar atá i gceist, insítear dúinn cé hé **an t-ainmní**, nó **an tsuibiacht**, .i. an duine nó an ní (nó na daoine agus na nithe) atá ag déanamh na gníomhaíochta.

	an t-ainmní san abairt
Bhris sé an fhuinneog.	**sé**
Ólann siad bainne.	**siad**
Íosfaidh mé arán.	**mé**
Ghlanfadh Seán an teach.	**Seán**
D'insíodh an bhean scéalta.	**an bhean**

Más **saorbhriathar** (nó **briathar saor**) atá i gceist, tugtar an ghníomhaíocht dúinn ach ní luaitear an t-ainmní. Seo na habairtí thuas gan ainmní, .i. le foirmeacha den tsaorbhriathar.

Briseadh an fhuinneog.
Óltar bainne.
Íosfar arán.
Ghlanfaí an teach.
D'insítí scéalta.

Sa ghnáthchaint laethúil is coitianta i bhfad foirmeacha gníomhacha den bhriathar ná foirmeacha den tsaorbhriathar ach, más linn prós nó litríocht na Gaeilge a léamh, ní mór an dá chineál a aithint.

§2 Nuair is foirm ghníomhach atá i gceist, caithfear smaoineamh ar roinnt rudaí eile le cur síos a dhéanamh ar an ainmní:

● **pearsa**	an chéad phearsa, an dara pearsa nó an tríú pearsa
● **uimhir**	**uimhir uatha** (ainmní aonair) nó **umhir iolra** (beirt nó níos mó)

- **inscne** Sa Ghaeilge ní áirítear **inscne** ach i gcás fhoirmeacha uatha an tríú pearsa sna gnáthbhriathra, is é sin **firinscneach** nó **baininscneach**:

sé an tríú pearsa uatha fhirinscneach
sí an tríú pearsa uatha bhaininscneach

Sa chopail bíonn:

é an tríú pearsa uatha fhirinscneach
í an tríú pearsa uatha bhaininscneach
ea an tríú pearsa uatha **neodrach**.

Seo thíos táblaí de na forainmneacha pearsanta sa Ghaeilge, mar aon le cur síos ar an phearsa agus ar an uimhir (agus, i gcás an tríú pearsa uimhir uatha, ar an inscne):

forainmneacha suibiachta	*forainmneacha oibiachta*	
1 **mé, mise**	**mé, mise**	an chéad phearsa, uimhir uatha
2 **tú, tusa**	**thú, thusa**	an dara pearsa, uimhir uatha
3 **sé, seisean**	**é, eisean**	an tríú pearsa fhirinscneach, uimhir uatha
sí, sise	**í, ise**	an tríú pearsa bhaininscneach, uimhir uatha
	ea	an tríú pearsa neodrach, uimhir uatha
1 **muid, sinn,**	**muidne, sinne**	an chéad phearsa, uimhir iolra
2 **sibh, sibhse**	**sibh, sibhse**	an dara pearsa, uimhir iolra
3 **siad, siadsan**	**iad, iadsan**	an tríú pearsa, uimhir iolra

Baintear úsáid as na forainmneacha pearsanta i gcolún A mar ainmnithe (nó suibiachtaí) ar lorg gnáthbhriathra agus sa leabhar seo is ar na foirmeacha seo is mó a dhíreofar aird sna cleachtaí ar an pharsáil. Gheofar samplaí fosta de na forainmneacha i gcolún B mar oibiachtaí agus, mar a tharlaíonn, sa chuid is mó de na cásanna, ar lorg na copaile.

Chonaic siad <u>í</u> ach ní fhaca sise <u>iadsan</u>.

Is múinteoir <u>é</u>.

Aon uair amháin a bheas an phearsa aimsithe againn - maidir le pearsa agus uimhir (agus inscne, más tríú pearsa uatha atá i gceist), ní mór aird a dhíriú ansin ar na nithe a leanas:

● **aimsir** *nó* **modh**	an aimsir chaite	**chuir sé**
	an aimsir ghnáthláithreach	**cuireann sé**
	an aimsir fháistineach	**cuirfidh sé**
	an modh coinníollach	**chuirfeadh sé**
	an aimsir ghnáthchaite	**chuireadh sé**
	an modh ordaitheach	**cuireadh sé**
	an modh foshuiteach aimsir láithreach	**go gcuire sé**
	an modh foshuiteach aimsir chaite	**dá gcuir(f)eadh sé**
● **foirm**	neamhspleách *nó* deimhneach	**cuireann sé**
	diúltach	**ní chuireann sé**
	ceisteach	**an gcuireann sé?**
	ceisteach diúltach	**nach gcuireann sé?**
	coibhneasta *srl.*	**a chuireas, chuireann** **a chuirfeas, chuirfidh**

● **briathar** Aimsigh **gas** (nó **fréamh**) an bhriathair, agus an **t-ainm briathartha** .i. an dá chuid is tábhachtaí de na briathra sa Ghaeilge, m.sh. **cuir/cur, tóg/tógáil, bí/bheith** srl.

I gcás na copaile is leor 'den chopail **is**' a lua.

§3 Sa leabhar seo iarrtar ar an léitheoir ceisteanna mar seo a fhreagairt:

5 Déan cur síos ar na foirmeacha de na briathra a leanas a bhfuil líne fúthu.

Seo samplaí de na freagraí a mbeifí ag dúil leo:

Thóg sé an mála.	An tríú pearsa fhirinscneach, uimhir uatha (foirm neamhspleách*), den aimsir chaite den bhriathar *tóg/tógáil.*
An gcaitheann sibh?	An dara pearsa, uimhir iolra (foirm cheisteach), den aimsir ghnáthláithreach den bhriathar *caith/ caitheamh.*
Ní léifinn an leabhar sin.	An chéad phearsa, uimhir uatha (foirm dhiúltach), den mhodh choinníollach den bhriathar *léigh/léamh.*
Brisfear an fhuinneog.	An saorbhriathar (foirm neamhspleách) den aimsir fháistineach den bhriathar *bris/briseadh.* **nó** Saorbhriathar na haimsire fáistiní (foirm neamhspleách) den bhriathar *bris/briseadh.*
Níor ghlan siad an teach.	An tríú pearsa, uimhir iolra (foirm dhiúltach), den aimsir chaite den bhriathar *glan/glanadh.*

* Is féidir *foirm dheimhneach* a úsáid lán comh maith le *foirm neamhspleách.*

Nach siúlfaidh sí abhaile?	An tríú pearsa bhaininscneach, uimhir uatha (foirm cheisteach dhiúltach), den aimsir fháistineach den bhriathar *siúil/siúl*.
Go dté tú slán.	An dara pearsa, uimhir uatha (foirm spleách), den mhodh fhoshuiteach aimsir láithreach den bhriathar mhírialta *téigh/dul*.
Ba mhúinteoir í.	An tríú pearsa bhaininscneach (foirm neamhspleách), uimhir uatha, den aimsir chaite den chopail *is*.
An ceoltóirí sibh?	An dara pearsa, uimhir iolra (foirm cheisteach), den aimsir láithreach den chopail *is*.

Sa chuid eile den innéacs seo ar an bhriathar gheofar liosta téarmaíochta a bheas ina chuidiú agat.

BASIC TERMS FOR THE VERB IN IRISH
BUNTÉARMAÍOCHT DON BHRIATHAR SA GHAEILGE:

the verb	**an briathar**
a regular verb	**briathar rialta**
an irregular verb	**briathar mírialta**
the stem	**an gas** *nó* **an fhréamh**
the verbal noun	**an t-ainm briathartha**
the verbal adjective	**an aidiacht bhriathartha**

the first person singular	**an chéad phearsa, uimhir uatha**
the second person singular	**an dara pearsa, uimhir uatha**
the third person singular, masculine	**an tríú pearsa fhirinscneach, uimhir uatha**
the third person singular feminine	**an tríú pearsa bhaininscneach, uimhir uatha**
the third person singular neuter	**an tríú pearsa neodrach, uimhir uatha**
the first person plural	**an chéad phearsa, uimhir iolra**
the second person plural	**an dara pearsa, uimhir iolra**
the third person plural	**an tríú pearsa, uimhir iolra**

the tenses and moods	**na haimsirí agus na modhanna**
the past tense	**an aimsir chaite**
the present tense	**an aimsir láithreach** *(tá)*
the present habitual	**an aimsir ghnáthláithreach** *(bíonn)*
the future tense	**an aimsir fháistineach**
the conditional mood	**an modh coinníollach**
the imperfect tense, *or* past habitual	**an aimsir ghnáthchaite**
the imperative mood	**an modh ordaitheach**

the subjunctive mood, present tense	**an modh foshuiteach, aimsir láithreach**
the subjunctive mood, past tense	**an modh foshuiteach, aimsir chaite**

the autonomous *or* the impersonal, e.g.	**an saorbhriathar** *nó* **an briathar saor**, *m.sh.*
the autonomous of the past tense	**an saorbhriathar den aimsir chaite** *nó* **saorbhriathar na haimsire caite**

an analytic form	**foirm scartha** *tá mé, bhíodh siad, bhí mé*
a synthetic form	**foirm tháite** *táim, bhídís, bhíos*

the independent form	**an fhoirm neamhspleách**
also the affirmative	***nó* an fhoirm dheimhneach**
the dependent form	**an fhoirm spleách**
the negative form	**an fhoirm dhiúltach**
the interrogative form	**an fhoirm cheisteach**
the negative interrogative form	**an fhoirm cheisteach dhiúltach**
the direct relative form	**an fhoirm choibhneasta dhíreach**
the indirect relative form	**an fhoirm choibhneasta indíreach**

An tAinmfhocal sa Ghaeilge: Achoimre

§1 Le cur síos ar an ainmfhocal sa Ghaeilge caithfear smaoineamh ar roinnt príomhrudaí.

● **tuiseal**	.i. **ainmneach, gairmeach, ginideach, tabharthach**
● **uimhir**	.i. **uatha** (ceann amháin) nó **iolra** (beirt nó níos mó)
● **díochlaonadh**	.i. 1ú-5ú (ach amháin go mbíonn corrainmfhocal mírialta ann).
● **inscne**	.i. **firinscneach** nó **baininscneach**.

Níl mórán de chastacht ag baint le hinscne (.i. 'firinscneach' nó baininscneach') nó le huimhir (.i. 'uatha' nó 'iolra') ach beidh plé níos grinne de dhíth le míniú a thabhairt ar thuiseal agus ar dhíochlaonadh.

§2 an tuiseal ainmneach, uimhir uatha: Is í an uimhir uatha den tuiseal ainmneach an ghnáthfhoirm den ainmfhocal a chastar linn san fhoclóir, m.sh. in *Foclóir Gaeilge-Béarla* le Niall Ó Dónaill (An Gúm, Baile Átha Cliath 1977). Tugtar **ceannfhocal** air seo. Faoin cheannfhocal tabharfar eolas eile dúinn ar inscne an fhocail, ar an fhoirm den ghinideach uatha, den ainmneach iolra agus (más ann dó) foirm ar leith den ghinideach iolra.

an tuiseal ainmneach, uimhir iolra: Tabharfar na foirmeacha den ainmneach iolra in *FGB*. I gcuid mhaith cásanna is ionann an fhoirm don uimhir iolra den ainmneach agus den ghinideach agus más amhlaidh atá luafaidh *FGB* 'pl' .i. *plural* an Bhéarla. Ach má bhíonn foirm ar leith ann don ainmneach iolra agus don ghinideach iolra luafaidh *FGB* 'npl' agus 'gpl' .i. *nominative plural* agus *genitive plural* an Bhéarla. Nuair is ionann na foirmeacha den uimhir iolra do gach tuiseal **tréaniolra** atá ann, nuair nach ionann **lagiolra** atá ann.

§3 an tuiseal tabharthach Is féidir cur síos ar an tuiseal tabharthach mar thuiseal 'réamhfhoclach' sa mhéid gur i ndiaidh réamhfhocal (nó an chuid is mó acu*) a tharlaíonn an **tabharthach uatha**. I gCúige Uladh is séimhiú a leanas an chuid is mó de na réamhfhocail + alt san uimhir uatha (**leis an fhear, ar an bhean** srl.) ach ó dheas bíonn urú i gceist (taobh amuigh de **den, don, sa(n)**): **leis an bhfear, ar an mbean** *srl.* Bíonn rogha agat sa Chaighdeán.

*Is iad seo a leanas na príomheisceachtaí sa ghnáthchaint nua-aimseartha de réamhfhocail nach dtagann an tuiseal tabharthach ina dhiaidh: *ach* 'except', *amhail*, *dar*, *gan*, *mar*, *os* agus *seachas*.

ainmneach uatha	*tabharthach uatha*
an fear	**Thug mé sin don fhear.**
an t-athair	**Labhair mé leis an athair.**

An tabharthach uatha baininscneach
Ní bhíonn difear idir an t-ainmneach uatha baininscneach + an t-alt agus an tabharthach uatha baininscneach:

ainmneach uatha	*tabharthach uatha*
an bhean	**Thug mé sin don bhean.**
an oifig	**D'fhág mé an leabhar san oifig.**

In amanna bíonn foirmeacha 'infhillte' den tabharthach uatha ann d'fhocail áirithe as an dara díochlaonadh. (fch §7).

An tabharthach iolra Is ionann anois an t-ainmneach agus an tabharthach iolra (cé go gcluintear rian den tseanfhoirceann -**ibh** in abairtí mar **ar na mallaibh**, **ar uairibh**, **in Ultaibh**, **ó chianaibh** srl.)

ainmneach iolra	*tabharthach iolra*
na fir	**Thug mé sin do na fir.**
na mná	**Labhair mé leis na mná.**
na hoileáin	**Chonaic mé sin ó na hoileáin.**

§4 an tuiseal ginideach agus **na díochlaontaí** Níl i gceist le **díochlaonadh** ach 'grúpa' nó 'aicme' d'fhocail áirithe. Tá cúig dhíochlaonadh den ainmfhocal sa Nua-Ghaeilge agus tá dlúthbhaint ag an fhoirm den ghinideach uatha leis na díochlaontaí sa mhéid go mbíonn an díochlaonadh lena mbaineann focal ag brath ar an fhoirm den ghinideach uatha atá aige. Is é an ceathrú díochlaonadh an ceann is simplí de bhrí nach mbíonn athrú ar bith idir na foirmeacha uatha den ainmneach agus den ghinideach (seachas claochlú tosaigh). Sna ceithre dhíochlaonadh eile bíonn athruithe éagsúla i gceist:

díochlaonadh	na hathruithe a chuirtear i bhfeidhm sa ghinideach uatha	ainmneach uatha	ginideach uatha
1ú	Caolaítear an consan deiridh	**fear**	**teach an fhir**
2ú	Críochnaíonn sé le -**e**	**áit**	**muintir na háite**
	nó -**í**	**cláirseach**	**ceol na cláirsí**
3ú	Críochnaíonn sé le -**a**	**dochtúir**	**teach an dochtúra**
4ú	Athrú ar bith	**balla**	**barr an bhalla**
5ú	Críochnaíonn sé le consan leathan	**litir**	**dath na litreach**

Ba chleachtadh maith é iarraidh ar an scoláire amharc ar leagan an tuisil ghinidigh san uimhir uatha in *FGB* agus a oibriú amach uaidh sin cén díochlaonadh a mbaineann an focal áirithe sin leis. Cé nach luaitear uimhreacha na ndíochlaontaí in *FGB* cuideoidh an tábla thuas leis an scoláire uimhir an díochlaonta a oibriú amach. Thig ansin breathnú ar an fhoclóir i gcúl an leabhair seo le huimhir an díochlaonta a chinntiú.

Tá roinnt **ainmfhocal mírialta** ann, m.sh. *bean* (ginideach uatha *mná*), *deirfiúr* (*deirféar*), *leaba* (*leapa*), *mí* (*míosa*) - focail bhaininscneacha - agus *dia* (*dé*), *lá* (*lae*) - focail fhirinscneacha.

an ginideach iolra I gcuid mhór cásanna is ionann an fhoirm den ainmneach iolra agus den ghinideach iolra (3ú-5ú díochlaontaí agus na 'tréaniolraí' sna 1ú-2ú). I gcás **lagiolraí** san ainmneach iolra den 1ú agus den 2ú díochlaonadh is ionann foirm don ghinideach iolra agus don ainmneach uatha:

ainmneach uatha		*ginideach iolra*
fear	(1ú, lagiolra **fir**)	**tithe <u>na bhfear</u>**
cloch	(2ú, lagiolra **clocha**)	**dathanna <u>na gcloch</u>**

Is **lagiolra** focal as an chéad díochlaonadh nuair a chaolaítear an consan deiridh san ainmneach iolra (m.sh. **fear** > **fir, stócach** > **stócaigh**).

Is **lagiolra** focal as an dara díochlaonadh nuair a chuirtear -**a** leis an ainmneach uatha san ainmneach iolra (m.sh. **lámh** > **lámha, cluas** > **cluasa**).

§5 an tuiseal gairmeach Baintear úsáid as an tuiseal ghairmeach nuair a labhraítear go díreach le duine (nó le rud). Cuirtear **an mhír ghairmeach *a*** roimh an ainmfhocal san uatha agus san iolra, m.sh.:

ainmneach	*gairmeach*
buachaill	**Suigh síos, a b<u>h</u>uachaill.**
buachaillí	**Suígí síos, a b<u>h</u>uachaillí.**

A fhad agus nach mbaineann an focal leis an chéad díochlaonadh bíonn na foirmeacha den ghairmeach ar aon dul leis an ainmneach (uatha agus iolra) ach amháin go mbíonn an mhír **a** (móide séimhiú) rompu.

an tuiseal ainmneach uatha		an tuiseal gairmeach uatha
girseach	2ú baininscneach	**Slán, a ghirseach.**
dochtúir	3ú firinsnceach	**Is é do bheatha, a dhochtúir.**
cailín	4ú firinsnceach	**Suigh síos, a chailín.**
máthair	5ú baininscneach	**Fan, a mháthair.**

an tuiseal ainmneach iolra	an tuiseal gairmeach iolra
girseacha	**Slán, a ghirseacha.**
dochtúirí	**Is é bhur mbeatha, a dhochtúirí.**
cailíní	**Suígí síos, a chailíní.**
máithreacha	**Fanaigí, a mháithreacha.**

an gairmeach uatha sa 1ú díochlaonadh Caolaítear gach ainmfhocal as an chéad díochlaonadh sa ghairmeach uatha (cosúil leis an ghinideach uatha):

ainmneach uatha	gairmeach uatha	ginideach uatha
fear	**Éirigh i do shuí, a fhir an tí.**	(**cóta fir**)
mac	**Cad é mar atá tú, a mhic**?	(**teach mo mhic**)

an gairmeach iolra de 'lagiolraí' as an 1ú díochlaonadh Más ionann an fhoirm den ghinideach iolra d'ainmfhocal as an chéad díochlaonadh agus an t-ainmneach uatha (m.sh. **fear**, **teach na bhfear**), beidh foirm ar leith ann den ghairmeach iolra, .i. go cuirtear -**a** leis an fhoirm den ainmneach uatha:

ainmneach uatha	gairmeach iolra
fear	**Tagaigí isteach**, **a fheara**. (ain. iol. **fir**, gin. iol. **fear**)

Más focal as an chéad díochlaonadh atá ann a bhfuil an ginideach iolra ar aon dul leis an ainmneach iolra (.i. tréaniolra atá ann) beidh an gairmeach iolra mar an gcéanna, m.sh. **gaol**, iolra 'comónta' **gaolta**:

ainmneach uatha	gairmeach iolra
gaol	**Slán agaibh**, **a ghaolta**. (ain. & gin. iolra **gaolta**)

§6 Sa leabhar seo iarrtar ar an léitheoir ceisteanna mar seo a fhreagairt:

6 Déan cur síos ar: **thuiseal, uimhir, dhíochlaonadh agus inscne na n-ainmfhocal a leanas a bhfuil líne fúthu**.

Seo samplaí de na freagraí a mbeifear ag dúil leo:

Cad é *__an t-am__* *é?*	**An tuiseal ainmneach, uimhir uatha, den ainmfhocal *am*, an tríú díochlaonadh, firinscneach.**
Fan, *__a stócaigh__*.	**An tuiseal gairmeach, uimhir uatha, den ainmfhocal *stócach*, an chéad díochlaonadh, firinscneach.**
lár *__na fuinneoige__*	**An tuiseal ginideach, uimhir uatha, den ainmfhocal *fuinneog*, an dara díochlaonadh, baininscneach.**
__ar an bhalla__	**An tuiseal tabharthach, uimhir uatha, den ainmfhocal *balla*, an ceathrú díochlaonadh, firinscneach.**
Cailleadh *__na litreacha__*	**An tuiseal ainmneach, uimhir iolra, den ainmfhocal *litir*, an cúigiú díochlaonadh, baininscneach.**
i rith *__an lae__*	**An tuiseal ginideach, uimhir uatha, den ainmfhocal *lá*, ainmfhocal mírialta, firinscneach.**
ag rá *__na n-amhrán__*	**An tuiseal ginideach, uimhir iolra, den ainmfhocal *amhrán*, an chéad díochlaonadh, firinscneach.**

§7 an tabharthach uatha neamhinfhillte An chuid is mó den am ní bhíonn de dhifear idir an t-ainmneach uatha agus an tabharthach uatha - bíodh an t-alt ann nó ná bíodh - ach an claochlú tosaigh a bhíonn i gceist (m.sh. *t-* roimh ghuta, séimhiú, nó urú). Nuair a bhíonn an t-alt i gceist, cluinfear san ainmneach uatha: **an fear**, **an t-am** (fir.) agus **an bhean** (bain.) ach sa tabharthach cluinfear: **leis an fhear** (**/leis an bhfear**), **san am** agus **don bhean**. Is féidir 'tabharthach neamhinfhillte' a bhaisteadh ar gach sampla acu seo.

an tabharthach uatha infhillte Mar sin féin, tá roinnt focal as an 2*ú* díochlaonadh agus is féidir leaganacha infhillte den tabharthach a bheith acu:

ainmneach	*tabharthach infhillte*	*tabharthach neamhinfhillte*
lámh / cos	**sa láimh / den chois**	**sa lámh / den chos**
bos / cluas	**sa bhois / don chluais**	**sa bhos / don chluas**
bróg / fuinneog	**don bhróig / san fhuinneoig**	**don bhróg / san fhuinneog**
gealach / grian	**ar an ghealaigh / sa ghréin**	**ar an ghealach / sa ghrian**

Leis an fhocal **Éire**, 5ú díochlaonadh baininscneach, baintear úsáid as foirm infhillte den tabharthach: **Is maith liom Éire** (ainmneach) ach sa tabharthach: **Rugadh <u>in Éirinn</u> mé**. **Tháinig siad ar ais go <u>hÉirinn</u>**. Ginideach uatha: **muintir na hÉireann** (nó fiú **muintir na hÉireanna** *U*).

ainmneach	*tabharthach infhillte*	*ginideach*
Éire	**Éirinn**	**Éireann**

I gCúige Uladh cluintear tabharthach infhillte in **-igh**, i ndiaidh an réamhfhocail **ag** le roinnt ainmneacha briathartha: **ag scairtigh** 'calling', **ag brionglóidigh** 'dreaming', **ag búirfigh** 'bellowing', **ag casachtaigh** 'coughing', **ag méanfaigh** 'yawning', **ag srannfaigh** 'snoring' srl.

BUNTÉARMAÍOCHT DON AINMFHOCAL AGUS DO NA TUISIL SA GHAEILGE:

BASIC TERMS FOR THE NOUN AND THE CASES IN IRISH

the noun	**an t-ainmfhocal**
masculine	**firinscneach**
a masculine noun	**ainmfhocal firinscneach**
feminine	**baininscneach**
a feminine noun	**ainmfhocal baininscneach**
a regular noun	**ainmfhocal rialta**
an irregular noun	**ainmfhocal mírialta**

nominative	**ainmneach**
dative	**tabharthach**
genitive	**ginideach**
vocative	**gairmeach**

the nominative case	**an tuiseal ainmneach**
the dative case	**an tuiseal tabharthach**
the genitive case	**an tuiseal ginideach**
the vocative case	**an tuiseal gairmeach**

declension	**díochlaonadh**
the first declension	**an chéad díochlaonadh**
the second declension	**an dara díochlaonadh**
the third declension	**an tríú díochlaonadh**
the fourth declension	**an ceathrú díochlaonadh**
the fifth declension	**an cúigiú díochlaonadh**

inflected	**infhillte**
uninflected	**neamhinfhillte**

Foclóir: Vocabulary

Giorrúcháin: Abbreviations

Numbers stand for declensions of the noun, e.g. *1m* first declension masculine, *2f* second declension feminine. The symbol **~** means repeat the headword.

adj adjective
adv adverb
aut. autonomous
condit. conditional
conj. conjunction
cop. copula
cpd compound
dat. dative
def. definite
dep. dependent
f feminine
fut. future
gen. genitive
gpl genitive plural
gs genitive singular
habit. habitual
imperf. imperfect
indep. independent
ipve imperative
irr.f irregular feminine
irr.m irregular masculine
lit. literally
m masculine
neg. negative
npl nominative plural
part. particle
phr phrase
pl. plural
pn place-name
prp preposition
pres. present
pron. pronoun
prov. proverb
rel. relative
sg. singular
Std Standard Irish
subj subjunctive
U Ulster Irish
v verb
vadj. verbal adjective
var. variant
vn verbal noun

ab *rel. of past/condit. of cop. before* **(f)** *vowel:*
ab óige the youngest,
ab fhearr the best,
ab fhéidir leis as he could, < **a ba**.
abair *v* say, *vn* **rá**,
past **dúirt**,
pres. **deir**, **mar a deirtear** as is said,
fut. **déarfaidh**.
abairt *2f* sentence = **frása**.
ábalta *adj*. able,
See **ann**, **féidir**, **thig**.
abhaile *adv* home(wards).
abhainn *5f* river.
ábhar *1m* subject.
á. bróid cause/source or pride.
á. imní cause of worry/concern.
ar an á. because
ábhair dhochtúirí trainee doctors.
cad é an t-á? why = **cad chuige**? = **cén fath**? = **cad ina thaobh**?
See **léitheoireacht**.
abhus *adv* here (= **anseo**), on this side.
ach ab é only that.
achainí *4f* request = **achaine** *U*.
achan every *U* = **gach aon** 'every one' = **gach** *Std*. = **chuile.**
a. uile oíche every single night.
achar *1m* distance, period,
an t-a. feithimh the waiting time.
acmhainn *2f* resource, *pl* **~í**.
acmhainneach *adj* **bád a.** a seaworthy boat.
achoimre *4f* summary, résumé = **cuntas gairid**.
ádh *1m* luck, good fortune, see **méanar**.
adharc *2f* horn,
ag séideadh a adhairce blowing its horn.
adhmad *1m* wood,
píosa adhmaid a piece of wood.
admhaigh *v* admit,
pres **admhaíonn**.
admháil *vn* to admit, *3f* a receipt.
aduaidh *adv* from the north, see **aniar**.
aer *1m* air, see **craoladh**, **óstach**.

aerach *adj* light-hearted, airy.
aerfort *1m* airport.
áfach however.
Afraic *2f* **An A**. Africa.
ag at (**agam**, **agat**, **aige**, **aici**,
againn, **agaibh**, **acu**).
Ciarán s'againne our C.
agallamh *1m* interview.
aghaidh *2f* face, *pl* **~eanna**.
trí in a. a haon 3-1.
in a. (+ *gen.*) against =
in éadan (+ *gen.*).
dhá uair in a. na bliana
twice a year.
ó 1975 ar a. from 1975 onwards.
ag teacht ar a. progressing.
thug siad a n-a. ar ais ar Leeds
they headed back to Leeds.
See **lean**.
agóid *2f* protest.
aichearracht *3f* shortness,
in a. shortly = **aicearracht** *Std.*
aíonna *pl* of **aoi** *4m* guest.
Aibreán *1m* April.
aidiacht *3f* adjective.
áil *in phr* **is á. liom** I wish, want;
am ar bith is á. liom
at anytime I feel like it,
ní há. liom = **ní maith liom**
I do not like.
ailt *gs* of **alt**.
ailtire *4m* architect.
ailtireacht *3f* architecture.
áiméar *1m* opportunity = **deis**,
faill, **seans**.
aimsigh *v* find, locate, *vn* **aimsiú** =
t(h)eacht ar.
aimsir *2f* weather,
an a. seo this weather =
ar an bhomaite =
san am i láthair, see **caitheamh**.
ainm *4m* name,
in a. (is) a bheith supposed to be.
ainmnigh *v* name, *vn* **ainmniú**.
ainneoin, **in a**. (+ *gen.*) in spite (of).
aintín *4f* aunt.
aird *2f* heed,
mórán ~e much heed,
a. a tharraingt ar
to draw attention to.
airde *4f* height,
in a. hung up, on high.
éirí in a. haughtiness, conceit.
airde see **ard**.
aire *4f* care, attention,
a. a thabhairt do to look after.
aire *4m* minister (*govt.*),
see **oideachas**.
áireamh *1m* reckoning = **reicneáil**,
cur san á. to take into account.
airgead *1m* money.
airgeadas *1m* finance,
gs **an coiste airgeadais**
the finance committee.
airigh *v* hear, perceive =
cluin, **mothaigh**.
áirigh *v* count, reckon = **cuntais**,
pres. aut. **áirítear**
is considered, counted.
áirithe certain,
an mhaidin á. seo
this particular morning,
curtha in á. reserved.
aisce *4f in phr* **saor in a.**
free of charge.
aiste *4f* essay.
aisteach *adj* strange, peculiar,
see **saoithiúil**.
aistrigh *v* translate, transfer,
vn **fógra a aistriú**
to translate a poster =
Gaeilge a chur ar fhógra.
áit *2f* place, **in áiteanna eile nach**
iad in other places besides,
elsewhere,
in á. a bheith instead of.
aitheantas *1m* recognition,
an duine de lucht aitheantais B.
a bhí ann?
was it someone B. knew?
aithin *v* know, recognise, *vn* **~t**,
pres. **aithníonn** recognises,
condit. **d'aithneofá**
you would recognise.

aithne *4f* personal acquaintance,
tá a. shúl agam air
I know him to see,
chuir a. ar got to know.
See **eolas**.
aithris *vn* to recite.
aithreachas *1m* regret,
bhí a. air he regretted.
áitiúil *adj* local.
Alasca *4m* Alaska.
Albain *5f* Scotland.
alt *1m* article,
údar an ailt sin
the author of that article.
am *3m* **am luí** bedtime.
ó am go ham from time to time =
anois is arís, **corruair**.
thar am high time.
in amanna sometimes.
in am ar bith at any time, ever
(*pres*., see **choíche**, **riamh**).
See **an-am**, **láthair**, **síneadh**.
amach *adv* out,
sna cúig bliana atá a. romhainn
in the forthcoming five years.
lá inteacht a. anseo
at some time in the future.
See **leor**, **tit**.
amaideach *adj* foolish.
amháin one;
san aon am a. all at once.
ní hé a. gur ligeadh dúinn
not only were we allowed.
ámharaí *in phr*. **ar á. an tsaoil**
luckily enough. = **ar an dea-uair.**
amharc *v* look, *vn* **~ ar** = **breathnú**
ar = **dearcadh ar** to look at.
amharc *1m* a sight = **radharc** a view.
amharclann *2f* theatre.
amhlaidh *adv* thus, so,
ní ha. a bhí it was not so =
a mhalairt ar fad a bhí fíor
the opposite was true.
amhrán *1m* song, **a. a rá**
to sing a song = **a. a chanadh**.
amhras *1m* doubt, see **fios**.
amhrasach *adj* suspicious.
an-am *3m*, *in phr.* **is fearr a bheith**
in am ná in an-am better in time
that at the wrong time.
aniar *adv* from the west, *used in phr*
tháinig sé a. aduaidh uirthi
it took her unawares
(*lit*. 'from the north-west').
ann *in phr* **in a.** able = **ábalta**,
in inmhe.
annamh *adj* rare,
is a. it is seldom = **ní minic**.
ní ha. it is often = **is minic**.
See **cuairt**.
anóirthear *adv* the day after
tomorrow **san oíche a.**
the night after next.
anois *adv* now,
a. is arís now and then =
ó am go ham, **ó am go chéile**.
anonn *adv* over.
a. is anall to and fro.
ansa dearest,
ní ar bith ar an tsaol ab ansa leis
nothing more in this life he loved
better,
an deoch is ansa le....
the preferred drink (of ...).
anuas *adv* down ('from above'),
used mainly with with **t(h)eacht**
'to come'.
le ceithre bliana a.
for the last 4 years.
anuraidh *adv* last year.
aoi *4m* guest, *pl* **aíonna**.
aoibh *2f* pleasant expression.
aoibhinn *adj* pleasant,
b'a. léi she loved,
... is aoibhne leis
of which he is most fond.
Aoine *4f* Friday.
aois *2f* age, century,
an fichiú ha. the twentieth century,
cá ha. é? what a. is he?
An raibh a. fir bainte amach ag
P? Had P. reached adulthood?
See **ciall**.
aoisghrúpa *4m* age-group.

aon *1m* one.
ar aon bhád on the same boat
See **mar**.

aonar *1m* **ina ha.** by herself, alone.
duine aonair an individual.
páiste aonair an only child.

aontaigh (le) *v* agree (with),
vn **aontú**.
pres. **aontaím leat** I agree with you
= **tá mé ag teacht leat**.

aonú lá is fiche (the) 21st. See **uile**.

aosta *adj* old, aged = **sean**.

ar *prp* on (**orm**, **ort**, **air**, **uirthi**,
orainn, **oraibh**, **orthu**)

árachas *1m* insurance,
gs **comhlacht árachais**
an insurance company.

araile in *phr.* **agus araile** et cetera,
and so on, *abbrev.* **srl**. = etc.

araon *adv* both.

árasán *1m* flat, apartment.

arbh é T.? was it T?
past interrog. part. of cop.

arbhar *1m* cereal.

ard *adj* high,
níos airde higher.

ardaigh *v* raise,
past aut. **Cé gur** (**h**)**ardaíodh an**
maoiniú Although the funding has
been increased.
d'a. an staighre climbed the stairs,
d'a. a ghlór raised his voice.

ardú *vn* to raise, increase;
2m increase.

ardchathaoir *5f* highchair.

ardtráthnóna *4m* early in the
evening < **ard** + **tráthnóna**.

aréir *adv* last night,
a. féin just last night.

argóint *3f* argument = **conspóid**,
troid; *pl* **~í**.

arís *adv* again = **athuair**.

arna mhárach *adv* **an lá a.**
on the following day.

arú aréir *adv* the night before last.

arú inné *adv* the day before
yesterday.

as out of (**asam**, **asat**, **as**, **aisti**,
asainn, **asaibh**, **astu**)
as baile away from home,
See **bain**, **brách**.

Astráil *2f* **An A**. Australia.

ath *prefix* re-, see **athchóiriú**,
athmhachnamh.

athair *5m* father.

áthas *1m* joy = **lúcháir**, **gliondar**.

athchóiriú *vn* to repair, restore,
see **ath** + **cóiriú**.

athmhachnamh *1m* **a. a dhéanamh**
to reconsider.

athraigh *v* change.

athrú *vn* to change
Is mór an t-athrú é ...
It is a great change ...,
pl **athruithe**.

athscríobh *v* rewrite, *vn* ~.

athuair *adv* once again = **arís**.

atmaisféar *1m* atmosphere.

bá *vn* to drown, **i gcontúirt a mbáite**
in danger of their drowning.

babhal *1m* bowl, **babhla** *4m, Std.*

bád *1m* boat, see **foireann**.

baicle *4f* gang = **scaifte**.

baile *4m* home, a town;
as b. away from home,
absent from the house.

Baile an Chaistil *pn*
Ballycastle (Co. Antrim).

Baile Átha Cliath *pn* Dublin.

bailigh *v* collect, gather = **cruinnigh**,
vn **bailiú**,
2 sg *condit.* **bhaileofá**
you would collect.

bain *v*, *vn* **~t** win,
bain amach reach = **sroich**.
baint as to take (time):
Níor chóir go mbainfí níba mhó
ná leathuair aisti
It should not take her more than
half an hour.
See **stad**, **sult**, **triail**.
Bhain mé céim amach.
I took/got a degree =

Fuair mé céim.
na bróga bainte di féin
her shoes off.
ná b. dó sin do not touch that.
baint le: a bhaineas leis an tíos
related to housekeeping.
See **tábhacht**.
baint anuas to reduce.
bainte den bhád
taken off the boat.
baint *vn* of **bain**, *2f* connection
an bh. a bhí ag K le
K's connection with.
bainis *2f* wedding (reception).
bainisteoir *3m* manager.
baint see **bain**.
báire *4m*, **i dtús b**. initially.
báite *adj* drowned, see **bá**.
ball *1m* member, *pl* **baill**.
ballraíocht *3f* membership.
ban see **bean**.
bán *adj* white.
banaltra *4f* nurse, *pl* **~í**, see **iar**.
banaltracht *3f* nursing.
baol *1m* danger = **contúirt**.
barda *4m* ward, *pl* **~í**.
barr *1m* top = **mullach**,
mar bh. ar an donas
even worse than that.
dá bh. sin because of that.
See **cnoc**, **sioc**, **thar**.
barraíocht *3f* too much =
an iomarca.
barúil *3f* opinion, idea = **tuairim**,
bhí mé den bh. = **mheas mé**
I reckoned = **bhí mé ag déanamh**.
See **bhíothas**, **nocht**.
bás *1m* death, *pl* **~anna**;
bhí eagla a bháis air
he feared for his life
See **deireadh**, **luibh**.
beag *adj* small
is b. maidin/iarraidh
there were few mornings/
occasions.
beagáinín *4m* a little bit = **rud beag**.
beagnach *adv* almost =
chóir a bheith.
beaguchtach *1m* lack of courage,
chuir sin b. uirthi
that disheartened her.
beaichte *4f* precision = **cruinneas**.
beairic *2f* barrack,
gs **chun na beairice** to the b.
béal *1m* mouth.
Béal Feirste *pn* Belfast.
bealach *1m* way,
b. mór road *U* = **bóthar**,
pl **bealaí móra**.
leath bealaigh suas halfway up.
bean *irr.f* woman, *gs* & *npl* **mná**,
gpl **beirt bhan** two women.
See **uasal**.
Beanna Boirche, Na *pn*
The Mourne Mountains, (Co. Down).
beartaithe *adj* **bhí b. acu**
they (had) intended, planned =
ar intinn acu, rún acu.
b. aici = **leagtha amach aici** =
pleanáilte aici = **socraithe aici**.
beatha *4f* life, living,
b. an duine human life;
see **saothrú**, **slí**.
In phr **is é do bh.**
you are welcome = **tá fáilte romhat**.
Response: **Go raibh maith agat**.
beifear *fut. aut.* of **bí**.
béile *4m* meal, *pl* **béilí**,
see **iarbhéile**.
beir give birth, *vn* **breith**,
past **rug**,
ipve **beir greim ort féin**
catch, get, a grip of yourself.
fut. **go mbéarfar ar** will be caught.
beirt *2f* two people = **dís**.
beo *adj* alive, as *4m*
ar mo bh. for the life of me
See **neach**.
beocht *3f* life, animation =
brí, **fuinneamh**.
bhéarfa(i)dh will/would give
(*indep*. only, *U*) =
tabharfaidh/thabharfadh *Std*,
see **tabhair**.

bheas *fut. rel.* **a bheas**
which will be = **a bheidh**.
bheir gives *U* = **tugann** *Std.*
bheireadh léi
used to take with her *U* =
thugadh léi *Std.*
bheith to be, see ***bí***, ***thar***. Often
a bheith in *U*.
bhíodh used to be, see **bí**.
bhíothas *past aut.* of **bí**,
bh. ag smaoineamh
it was thought = **bh. den bharúil**.
bhuel *adv* well.
bí *v* be, *vn* **bheith**,
ipve **bíodh** let be,
bíodh (is) although = **cé**.
ná bíodh deifre ar bith oraibh
don't be in any hurry =
glacaigí bhur gcuid ama.
pres. habit. subj. **mura mbí**
unless there is = **mura raibh**.
bia *4m* food *Std*,
var. gen. **greim bídh** snack.
bialann *2f* restaurant =
proinnteach, café.
bídeach *adj* tiny.
bídh see **bia**.
binn *adj* sweet (sounding),
Prov. **Is b. beal ina thost**.
Silence is golden. Say nothing.
bíodh see **bí**, **cé**.
biongadh *in phr* **baineadh b. astu**
they were surprised, taken aback =
baineadh geit/stangadh astu =
scanraíodh iad.
biseach *1m* improvement,
go raibh b. air until he gets better.
bítear *aut. pres. habit.* of **bí**,
see **súil**.
bith *3m, in phr* **rud ar bith**
anything, nothing = **aon rud**
See **cor**, **scor**, **seans**.
bithiúnach *1m* scoundrel = **rógaire**.
blasta *adj.* tasty,
Gaeilge bhinn bh.
very idiomatic Irish.
bláth *3m* flower, *pl* **~anna**.
bléitse *4m* bleach.
bliain *3f* year,
i mbliana this year.
I mbliana an seachtú bliain domh
san obair seo.
This year is my seventh year at this
work.
bloc *1m* block.
bocht *adj* poor,
is b. liom = **is oth liom** I regret.
bocsa *4m* box *U* = **bosca** *Std.*
bog *v* move, *vn* **~adh**.
boilsciú inflation,
de réir ráta an bhoilscithe
according to the rate of inflation.
bóithre see **bóthar**.
boladh *1m* scent, smell.
bolgam *1m* mouthful = **braon**.
bomaite *4m* minute = **nóiméad**;
ar an bh. at the m. =
san am i láthair.
bómánta *adj* slow-witted =
amaideach, gan chiall.
bónas *1m* bonus, *pl* **bónais**.
bonn *1m* sole, coin (see **cara**),
láithreach b. right away =
in áit na mb.
thug sé na bonnaí as
he scarpered = **rith sé ar shiúl** =
as go brách leis = **theith sé.**
bord *1m* board, table
b. sláinte health board,
ar bord on board.
bordáil *3f* boarding,
p. bordála boarding pass.
bosca *4m* box = **bocsa** *U*.
bóthar *1m* road = **bealach mór** *U*,
pl. **bóithre**.
brabach *1m* profit,
iomlán an bhrabaigh all profits.
brách *in phr* **as go b. leo**
off they sped, see **bonn**.
go b. ever = **go deo**.
bráid *2f* **a chur faoi bhur mb.** to
bring to your attention, present to
you = **a chur os bhur gcomhair**.
braith *v* feel = **mothaigh** *U*,
pres. **~eann**, *vn* **brath**.

braon *1m* drop = **bolgam**, even **deoir**.
brath *vn* to intend,
ag b. ar depending upon,
see **tí**, **fá choinne**.
An duine é a dtig a bheith ag b. air? Is he someone who can be trusted? See **iontaofa**.
breá *adj* fine,
b. luath nice and early,
b. sásta delighted, 'well pleased'.
breactha síos scribbled, jotted down.
bréagán *1m* toy.
bréan *adj* rotten = **lofa**,
in phr. **d'éirigh mé b. de**
I became fed up with =
d'éirigh mé tuirseach de/dubh dóite de.
breathnaigh (**ar**) *v* look (at) = **amharc** = **dearc**, *vn* **breathnú**.
breis *2f* addition,
freagrachtaí/scileanna breise
additional responsibilities/skills,
sa bh. additional,
b. is ceithre scór
more than eighty.
breithlá *irr.m* birthday.
See **bronntanas**.
breoite *adj* sick, infirm = **tinn**,
daoine b. sick people =
othair patients.
brí *4f* vigour,
see **beocht**, **fuinneamh**.
in cpd prp **de bh. gurbh éigean dó** because he had to.
bríomhar *adj* lively.
briosca *4m* biscuit.
bris *v* break, *vn* **~eadh**,
pres **briseann** breaks,
past aut. **briseadh isteach**
was broken into,
pres. subj. **sula mbrise tú é**
before you break it.
briste *adj* broken,
b. go mór greatly upset =
meallta, **díomá ar**.
bród *1m* pride, **b. ar as** proud of.
broinn *2f* womb,
go raibh an t-ádh air go raibh bua na péintéireachta ó bh. leis
that he was fortunate to have been born with the gift of painting,
b. na loinge the hold of the ship.
brollach *1m* breast, chest = **ucht**.
brón 1m sorrow = **gruaim**,
see **buaireamh**.
bronn *v* present, **bestow** *vn* **~adh**;
past aut. **an chéad ghradam a bronnadh air**
the first mark of honour that was bestowed upon him.
bronnadh *3m* presentation.
bronntanas *1m* present,
b. breithlae birthday p.
brú *4m* pressure, stress = **strus**, **teannas**;
faoi bh. under pressure.
bruach *1m* edge = **imeall**.
bua *4m* gift, ability.
buachaill *3m* boy, *pl* **~í** = **stócach**.
buaicphointe *4m* highlight, *pl* **-tí** <
buaic 'pinacle' + **pointe** 'point', see **príomheachtraí**.
buail *v* hit, *vn* **bualadh**.
bhuail mé le I met, see **cas**.
bualadh le chéile
to meet each other
bualadh isteach to call in.
bualadh amach chuig m'aintín
to go out and visit my aunt.
bhuail an guthán the phone rang.
ní bhuailfear P. P. will not be beaten = **ní shárófar P.**
buailte *adj* **Bhí an lá sin buailte leis**. That day had arrived.
buailte amach tired out =
marbh tuirseach, **traochta**.
buaireamh *1m* sorrow = **brón**, **imní**.
buan *adj* eternal,
cuimhne bh. ag ar
always remember,
más b. mo chuimhne
if I remember rightly,

post b. a permanent post,
Prov. **Ní b. gach ní a chaitear.**
Nothing on earth is permanent.
(*Lit*. 'Not eternal everything which is used/consumed'.)
buartha *adj* sorry, bothered;
ná bí b. don't be worried, see **imní**.
buidéal *1m* bottle, *pl* **buidéil**.
builbhín *4m* loaf = **builín** *4m*, *Std*.
buíoch *adj* thankful, see **fíor**.
buíochas *1m* thanks, see **gabh**,
mar bh. as in appreciation of.
buiséad *1m* budget.
buille *4m* stroke, blow = **cnag**.
bun *3m* bottom.
i mb. (+ *gen*.) in charge of.
ó bh. go barr from top to bottom.
bunscoil *2f* primary school.
buntáiste *4m* advantage.
bunús *1m* **b. achan mhaidin**
most mornings =
chóir a bheith achan mhaidin =
beagnach gach maidin.

cá? *adv* where? = **cá háit?**
cá how (+ aspiration)
cá what (*h* before a vowel)
cá fhad? *adv* how long?
cá haois? *adv* what age?
cá hainm? *adv* what name?
cá huair? *adv* when? = **cathain?**
cá mhéad? *adv* how much/many?
cá mhinice? *adv* how often? =
cé comh minic? *U*.
cabhraigh (**le**) *v* help *vn* **cabhrú** =
cuidiú.
cabhsa *4m* path, laneway = **cosán**.
cad chuige? *adv* why? = **cén fáth?**,
cad ina thaobh?
cad é *adv* what = **céard**.
cadhnra *4m* battery.
caiftín *4m* captain *U* =
captaen *1m*, *Std*.
caighdeán *1m* standard,
c. maireachtála s. of living.
cáilíocht *3f* qualification.
cáilithe *adj* qualified.
cáiliúil *adj* renowned, famous =
clúiteach;= **mór le rá**.
is cáiliúla the most renowned.
caill *v* lose, *vn* **~eadh**;
condit. aut. **go gcaillfí na daoine**
bochta seo that these poor people
would have been drowned.
cailleach *2f* hag, *inflected dative sg.*
don chailligh = **don chailleach**.
caillte *adj* lost,
c. leis an fhuacht perished with
cold = **sioctha**, **préachta**, **conáilte**.
cáin *5f* tax,
tús na bliana cánach
the start of the tax year.
caint *vn* **ag c. (le)** talking (to).
caint *2f* talk, speech = **óráid**.
cainteach *adj* talkative.
cainteoir *3m* speaker,
c. dúchais Gaeilge
a native speaker of Irish.
cáipéis *2f* document = **doiciméad**.
caisleán *1m* castle, see **réir**.
Caisleán Nua, An *pn*
Newcastle (Co. Down).
caitear is consumed, worn,
pres. aut. of **caith**. See **buan**.
caith *v* spend, wear, throw;
vn **~eamh**.
caithfidh/chaithfeadh
will/would have to, must.
lón a chaitheamh
to have/consume lunch,
chaith muid béile
we ate a meal, see **ith**.
caithfear … amach
will be thrown out, expelled,
see **ruaig**.
caitheadh fleá agus féasta
a feast and banquet were held.
todóg a chaitheamh
to smoke a cigar.
caitheamh *1m* **aimsire** pastime,
pl **caithimh aimsire** pastimes.
callán *1m* noise = **tormán**,
an c. a thógtar *pres. aut.*
the noise which is made.

campáil *vn* to camp, see **suíomh**.
canna *4m* can, tin, *pl* **~í**.
canúint *3f* dialect, *pl* **~í**.
caoga fifty = **leathchéad**.
caoi *4f* way, **cén ch.?** how =
cad é mar? = **conas?**
caol *adj* narrow, = **tanaí, seang**.
shiúil sí c. díreach isteach
she walked straight in.
captaen *1m* captain, see **caiftín**.
cara *5m* friend,
árasán mo charad my friend's flat,
pl **cairde**, see **comrádaí**.
Prov. **Is fearr c. sa chúirt ná bonn sa sparán.**
Better a friend in court than a coin in the purse.
carbhat *1m* (neck-)tie.
carr *1m* car = **gluaisteán**,
gs **ról an chairr** the role of the car.
carraig *2f* rock.
carrchlós *1m* car park.
carrfhia *4m* stag = **carria** *Std.*
cárta *4m* **creidmheasa** credit card.
carthanacht *3f* charity, *pl* **~aí**.
cás *1m* case,
cásanna cúirte court cases.
i gc. ar bith anyhow, anyway =
ar scor ar bith, **cibé ar bith**.
cuir i gc. (just) suppose.
cas *v* twist, turn; *vn* **~adh**,
c. do meet: = **buail le**.
imperf. **gach rud a chastaí ina shlí dó** everything he encountered (in his path),
past. aut. **dár casadh riamh orm**
whom I have ever met,
casadh cairde orm/domh
I met friends = **bhuail mé le cairde**;
casadh ar a chéile iad
they met each other.
casaoid *2f* complaint = **gearán**.
casóg *2f* jacket.
cath *3m* battle,
gs **am an chatha**
the hour of battle.
cathain? *adv* when? = **cá huair?** =
cén uair?
cathair *5f* city, *gs* **halla na cathrach**
the city hall.
cathaoir *5f* chair.
cathaoirleach *1m* chairman,
chairperson. = **an té atá i gceannas**
= **an duine atá i mbun eagraíochta**.
cé? who?
cé although = **bíodh** (**is**).
cé acu whether (plus *verb*), which (plus *noun*).
cé *4f* quay, see **Learpholl**.
cead *3m* permission,
See **ceadmhach**, **rith**, **tabhair**.
D'iarr sé c. orm.
He asked my permission.
céad *1m* a hundred (+ *sing.*);
a century = **aois**.
deich faoin ch. = 10%.
Note **chéad** = first (which see).
ceadmhach *adj* permissible,
ní c. peil a imirt anseo
football is not permissible here =
tá cosc le peil anseo, see **cosc**.
ceamara *4m* camera.
ceann *1m* head, pronominal 'one' (see **greannmhar**);
i gc. within (+ *gen.*)
i gc. dheich mbomaite
time 10 mins (asp. in *U*);
fá ch. leathuaire
within half an hour,
go c. seachtaine for a week (into the future),
thar c. an Bhoird on behalf of the Board.
See **cionn**.
céanna *adj*. same,
mar an gc. the exact same, likewise.
ceannaigh *v* buy,
vn **ceannacht** *U* = **ceannach** *Std.*
ceannaire *4m* leader, boss =
fostaitheoir.
ceannann *in phr.* **an rud c. céanna**
the exact same thing.
ceantar *1m* district, area = **dúiche**.

ceap *v* to appoint, catch.
past. aut. **cá huair a ceapadh sa bhunscoil í?** when was she appointed in the primary school?, See **post**, **fostaigh**.
vn **grabhróga a cheapadh** to catch crumbs;
fut. aut. **ceapfar** will be appointed.
ceardlann *2f* workshop = **cúrsa**, **rang**, *npl* **~a**.
cearr *adj* wrong, amiss.
Cad é atá c. leat? What is wrong with you? = **Cad é atá ort?**
ceart *adj* right, correct
c. go leor alright
ag dul i gc. going rightly
lena ch. a thabhairt do R. to give R. his due
ba ch. do should = **ba chóir do**.
ceart *1m* right, *pl* **~a**.
cearthaí *4f* nervousness, butterflies in the tummy.
ceartlár *1m* centre < **ceart** + **lár**. See **croílár**.
céatadán *1m* percentage.
ceathrú *5f* quarter, fourth
c. i ndiaidh a quarter past,
trí ch. three quarters
an c. bliain the fourth year.
céile *4m* spouse, **c. fir** husband, **c. mná** wife; **le ch.** together See **cuir**, **neart**.
céilí *4m* dance, 'céilí', *pl* **céilithe**.
ceiliúradh *vn* to celebrate, *3m* celebration.
céill *inflected dative of* **ciall**, which see.
céim *2f* degree, step,
cúrsa céime a degree course,
fuair sé c. he got a degree. = **bhain sé c. amach***;*
~eanna praiticiúla practical steps.
Ceimic *2f* **An Ch**. Chemistry.
Céinia *4f* **An Ch**. Kenya; caife **de chuid na C**. Kenyan coffee.
ceird *2f* trade, craft, see **dorn**.
cén which, **cén baile arb as Úna?** Which town is Úna from?
ceol *1m* music, see **clasaiceach**, **rac-cheol**.
cérbh é who was < *past of* **cé hé.**
chéad first,
sa ch. dul síos first of all,
den ch. iarraidh at the first attempt.
chéaduair *adv* **an ch**. initially = **i dtús báire** = **i dtús ama**.
cheana féin *adv* already.
chéile see **céile**, **neart**, **réir**.
choíche *adv* (n)ever (*fut.*). See **am**, **riamh**.
chonacthas was seen, *past aut.* **of feic** see.
chuaigh aici she managed = **d'éirigh léi**.
chuathas *past aut* of **téigh** go.
chugainn towards us < **chuig**.
an bhliain seo ch. next year.
chuig *prp* towards (**chugam**, **chugat**, **chuige**, **chuici**, **chugainn**, **chugaibh**, **chucu**)
chun to, towards,
ag teacht isteach chun tí di as she was coming into the house.
chomh as *Std* = **comh** *U*.
ciall *2f* sense,
cur i gcéill pretence,
chuir sé i gcéill he pretended (Latter two examples are 'inflected' dative forms i.e. **céill** after prepositions).
ó tháinig c. nó cuimhne chugam from ever I can remember.
Prov. **Tig c. le haois**.
As one gets older one gets wiser.
ciallmhar *adj* sensible, see **maise**.
ciaróg *2f* beetle,
Prov. **Aithníonn c. c. eile**.
It takes one to know one.
ciarsúr *1m* handkerchief = **haincearsan.**
cineál *1m* kind, sort = **sórt**.
cineálta *adj* kind, **is c**. kindest.
cineáltas *1m* kindness.

cinn *pl* of **ceann** head, one.
cinn *v* decide,
chinn mé I decided = **shocraigh mé** = **bheartaigh mé** = **rinne mé amach**.
cinneadh *1m* decision.
cinnlínte *4f* headlines (also **ceannlínte**) = **príomhscéalta**.
cinnte sure, certainly, see **fíor**.
tá mé c. go/gur I am certain that = **bíodh geall go/gur**.
cinntiú to make certain.
cionn < **ceann, os c**. above,
os a c. above her (head).
an bhliain dár gc.
the following year.
cionsiocair *5f* primary cause = **cúis**.
ciontaí *in phrase* **is é an luas is c. (leis)** speed is to blame (for it).
cíos *3m* rent, **ar c.** rented.
cistin *2f* kitchen.
citeal *1m* kettle.
cithfholcadh *3m* shower.
ciúin *adj* quiet = **suaimhneach**.
clasaiceach *adj* classical,
ceol c. classical music.
clann *2f* family, (one's) children.
clár *1m* programme,
lid (of tin, pot etc.).
c. faisnéise documentary.
cláraigh *v* enroll.
cleacht *v* practice,
pres. **cleachtann**,
vn **éirí cleachta le** to get used to.
cleachtadh *3m* practice.
cliant *1m* client, *pl* **cliaint**.
Cloch Cheann Fhaola *pn*
Cloghaneely (Co. Donegal).
clog *1m* bell, clock.
cloigeann *1m* skull,
d'imigh sé amach as mo ch.
it went clean out of my head = **rinne mé dearmad glan de**.
clú *4m* reputation = **cáil**, **ainm**.
club *4m* club, **c. óige** youth c.
See **cumann**.
clúdach *1m* envelope.
cluiche *4m* game.
cluinstin *vn* to hear = **cloisteáil**.
clúiteach *adj* famous, renowned = **cáiliúil**.
cnag *1m* knock.
cnap *1m* lump,
ina ch. chodlata sound asleep.
cnoc *1m* hill,
ar bharr an chnoic
on the top of the hill.
cócaire *4m* chef, cook.
cócaireacht *3f* cooking.
codail *v* sleep,
past **níor chodail sé**
he did not sleep.
codladh *3m* sleep,
oíche mhaith chodlata
a good night's sleep,
ó ch. na hoíche unable to sleep
See **mála**, **thar**.
cófra *4m* cupboard, *pl* **~í**.
coicís *2f* fortnight.
coigríoch *2f*, **ar an ch**. abroad = **thar lear**.
coimheád watch, mind, *vn* **c.**
coinne, **fá ch.** (+ *gen.*) for *U* = **le haghaidh** (+ *gen.*).
i gc. (+ *gen.*) opposed to = **in éadan** (+ *gen.*).
os c. (+ *gen.*) opposite = **os comhair** (+ *gen.*).
os a ch. sin on the other hand.
See **tabhair**.
coinneal *2f* candle, see **loisc**.
coinnigh v keep,
past **choinnigh mé orm** I persisted,
fut. aut. **coinneofar** will be kept
imperf. **an gcoinníodh W greim ar?** did W. used to keep hold of?
pres. aut. **coinnítear**,
See **soitheach**, **teagmháil**.
coinníoll *1m* condition.
cóir *adj*. proper,
ba ch. should,
níor ch. should not, see **ceart**,
chóir a bheith almost = **beagnach**, **nach beag**.
cóiriú *vn* tidy up, fix = **deisiú**,
ó ch. beyond repair.

See **athchóiriú**.

coirm *2f* **cheoil** concert = **ceolchoirm** *2f*.

coirnéal *1m* corner = **cúinne**.

cois < **cos** in *phr* **lena ch. sin** besides that, **ina theannta sin**. **cois farraige** *adv* by the sea(side), see **cos**.

coisbheart *1m* footwear = **bróga**.

cóisir *2f* party = **fleá**.

coiste *4m* committee.

cóiste *4m* coach = **bus**.

col *1m* **ceathrair** cousin.

coláiste *4m* college, **C. Ollscoile Bhaile Átha Cliath** University College Dublin.

comh as *U* = **chomh** *Std*. **c. maith le** as well as.

comhaimseartha *adj* contemporary, **sa tsaol ch**. in today's world = **sa lá atá inniu ann.** See **saol**.

comhair in *prp* **os c**. (+ *gen*.) opposite = **os coinne** (+ *gen*.).

comhairle *4f* advice, see **leas**. **idir dhá ch.** in two minds. **thabharfainn c. daoibh** I would advise you = **chuirfinn c. oraibh** = **mholfainn daoibh**.

comharsanach *1m* neighbour, *pl* **-aigh** = **comharsa** *5f*, *Std*.

comhartha *4m* sign.

comhghleacaí *4m* colleague.

comhlacht *3m* company, firm, see **árachas**.

comhlíonadh *vn* to fulfill, abide by (rules) = **cloí le**.

comhluadar *1m* company = **cuideachta**.

comhoibriú *vn* to co-operate, *2m* co-operation.

comhthéacs *4m* context.

comórtas *1m* competition, **i gc. le** compared to See **díospóireacht**.

comparáid *2f* comparison, **níl c. idir X agus Y** One cannot compare X to Y (in terms of merit) = **níl X inchurtha le Y.**

compord *1m* comfort.

compordach *adj* comfortable.

comrádaí *4m* comrade, colleague, friend = **cara**; *pl* **comrádaithe**.

cónaí *vn* to dwell, live (see **halla**), *adv* **i gc.** always.

conas? adv how? = **cad é mar?** = **cén chaoi?**

conclúid *2f* conclusion, see **príomhchonclúidí**.

cóngarach (**do**) *adj* close (to) = **i ndeas do**.

conradh *3m* contract.

conspóideach *adj* controversial, **an t-úrscéal is conspóidí** the most controversial novel.

contae *4m* county.

Contae an Dúin *pn* County Down.

contúirt *2f* danger = **dainséar** = **baol**. See **bá**.

contúirteach *adj* dangerous.

cor in *phr*. **ar ch. ar bith** at all.

córas *1m* system, **c. oideachais** education s.

corn *1m* cup, trophy = **trófaí**.

corp *1m* body, see **méid**.

corr(-) odd, occasional, **corroíche** the odd night. See **corruair**.

corrach *adj* uneven.

corruair *adv* occasionally = **ó am go ham**, **anois is arís**.

cos *2m* foot, **tormán c.** the sound of feet *gpl*. See **cois**.

cosain *v* cost, **ch. sé fiche punt** it cost £20 = **bhí fiche punt air.**

cosán *1m* (foot)path = **cabhsa**.

cosc *1m* prohibition, **c. ar mhadaí** no dogs allowed. **c. le rith**, **c. ar rith** no running, See **ceadmhach**.

cósta *4m* coast.

costas *1m* cost.
costasach *adj* costly = **daor**.
cosúil *adj* similar,
is c. go it appears that
See **gaolmhar**.
crann *1m* tree.
crannchur *1m* ballot,
an C. Náisiúnta
the National Lottery.
craobh *2f* championship, *basic meaning* 'branch'.
craoladh *vn* to broadcast,
cluiche á ch. a match being broadcast,
fut. aut. **a chraolfar**
which will be broadcast.
past aut. **craoladh an clár sin**
that programme was broadcast =
chuaigh sé amach ar an aer.
creid *v* believe, *vn* **~bheáil** *U* = **~iúint** *Std*,
condit. **ní chreidfeá**
you would not believe,
pres. aut. **creidtear anois**
it is now believed.
creidmheas *3m* credit.
cárta ~a credit card.
críoch *2f* boundary, finish,
cur i gcrích to complete,
crích *inflected dative sg.*
c. end = **deireadh**,
c. a chur leis an scéal
to finish the story.
críochnaigh *v* finish, *vn* **críochnú**;
past **chríochnaigh siad an obair**
they finished the work =
chuir siad an obair díobh,
fut. **críochnóidh** will finish,
pres. (subj.) aut.
go gcríochnaítear an obair
until the work is (may be) finished.
críochnaithe *adj* finished.
críonna *adj* prudent = **glic**.
Críostaíocht *3f* **An Ch.** Christianity.
crith *3m* trembling, **ar c.**
criticeoir *3m* critic, *pl* **~í**.
criú *4m* crew = **foireann**.
croch *v* hang, *vn* **~adh**,
imperf. aut. **chrochtaí an liosta**
the list used to be hung.
cróga *adj* brave = **misniúil** = **uchtúil** = **gan eagla**.
croí *4m* heart,
buíochas ó ch. hearty thanks
See **seach-chonair**.
croílár *1m* centre < **croí** + **lár**.
See **ceartlár**.
croith *v* wave, *vn* **~eadh**,
c. lámh le shake hands with.
crom *v* bend,
chrom mé ar an obair
I got stuck into the work.
cromán *1m* hip, see **scoróg**.
cronaigh *v* miss, long for;
pres. **cronaím (uaim) iad**
I miss them. See **cumha**.
cros *2f* cross,
An Ch. Dhearg The Red Cross.
crosfhocal *1m* crossword.
crua *adj* hard, strenuous (= **dian**),
for 'hard, difficult',
see **deacair**, **doiligh**.
cruinn *adj* gathered.
cruinne *4f* world = **domhan**.
ar fud na c. throughout the world = **ar fud an domhain**.
cruinneas *1m* accuracy = **beaichte**.
cruinnigh *v* collect = **bailigh**,
vn **cruinniú**.
past aut. **nuair a cruinníodh a raibh le fáil ag na gadaithe**
when all that was to be had had been gathered by the thieves.
cruinniú *2m* meeting, *pl* **cruinnithe**.
crúiscín *4m* jug, jar.
cruth *3m* shape.
cruthú *vn* to create < **cruthaigh**.
cuairt *3f* visit,
c. a thabhairt ar to visit
Prov. **C. ghearr agus a déanamh go hannamh.**
'A short visit and not too frequent'.
cuairteoir *3m* visitor.
cuan *1m* harbour.

cuardaigh *v* search, *vn* **cuardach** *Std.*
cuartaigh *v* search, *vn* **cuartú** *U* (= **cuardach** *Std*),
do do chuartú looking for you = **ar do lorg** = **do d'iarraidh**.
cuid *3f* some, share, portion, part = **páirt**; *often in possessive*:
a c. ama her time,
a ch. ealaíne his art,
a c. eochracha her keys, see **siúl**.
A Pheigí, a ch. Peggy, dear,
de ch. used before *def. noun*:
dlúthdhiosca de ch. *Clannad* one of Clannad's cds.
See **leathchuid**.
cuideachta *4f* company = **comhluadar**,
ina ch. in his c. See **fan**.
cuidigh (**le**) *v* help = **cabhraigh le**, *vn* **cuidiú**,
condit. **chuideodh** would help.
Cúil Raithin *pn* Coleraine (Co. Derry).
cuidiú *2m* help,
lámh chuidithe a helping hand = **lámh chúnta**.
cuimhin *with cop.* **is c. liom** I remember = **Tá cuimhne agam ar**.
cuimhne *4f* memory, see **buan**, **ciall**.
cuimhnigh *v* remember, *ipve. aut.* **cuimhnítear** let it be remembered.
cuimse *4f*, in *phr* **bród as c.** exceeding pride.
cuir *v* put, *vn* **cur**, *vadj* **curtha**,
cur isteach (ná amach) ar to annoy, disrupt.
le cur chuige ná uaidh to annoy him.
Chuir sí an teilifís ag dul She turned on the t.v.
ceisteanna a shíl sí a chuirfí uirthi ag an agallamh questions she thought she might be asked at the interview. See **tosach**.
na ceisteanna a chuirfear orm the questions I will be asked.
ag cur as do annoying,
chuireadh used to put. See **dul**.
Gaeilge a chur ar to translate into Irish, see **aistrigh**.
cuir de to finish, see **críochnaigh**.
chuirfeadh síos an citeal would put on the kettle.
cuirfidh mé le chéile I will assemble.
cur leis an bhuiséad to increase the budget.
ag cur faoi living,
ní fhéadfainn cur fúm I could not live = **ní thiocfadh liom bheith i mo chónaí** = **bheith beo**.
cuir síos ar describe.
See **cás**, **críoch**, **suim**.
cuireadh *1m* invitation,
Cá mhéad duine ar cuireadh cuireadh orthu? How many people were invited?
cúirt *2f* court, see **bonn**, **tabhair**.
cuirtín *4m* curtain, *pl* **~í**.
cúis *2f* reason, *pl* **~eanna**.
Cad é a ba ch. leis an charr stopadh? What caused the car to stop?
Déanfaidh sin c. That will suffice, do the job.
cuisneoir *3m* fridge.
cúiteamh *1m* recompense, compensation.
cúl *1m* back,
doras cúil back door,
seomra cúil back room.
cúl *1m* **báire** goalkeeper.
trí chúl three goals.
culaith *2f* suit.
cúlra *4m* background.
cum *v* compose, *vn* **~adh**.
cuma *4f* appearance.
is cuma never mind.
ba ch. léi she did not care = **níor mhiste léi** she did not mind.

cumadóireacht *3f* composition, composing.
cumann *1m* club, society.
ball den Ch. Ghaelach a member of the Gaelic Society.
c. rámhaíochta rowing club.
C. Bhéal Feirste de Lucht Tacaíochta Learphoill The Belfast Liverpool Supporters' Club.
cumarsáid *2f* communication, see **meán**.
cumas *1m* ability,
de réir ár gcumais according to our a.
See **ilchumasach**.
cumha *4f* homesickness, longing;
bíonn c. orainn i ndiaidh an bhaile. we miss home = **cronaímid an baile**.
cumhdaigh *v* protect,
pres. subj. **Go gcumhdaí Dia sibh**. May God protect you.
cumhra *adj*. fragrant.
cuntais *v* count,
c. siar count back,
vn **cuntas**,
pres. aut. **~tear**, see **áirigh**.
cuntasóir *3m* accountant.
cúntóir *3m* assistant.
c. ranga classroom a.
cupa *4m* cup = **cupán**.
cúpla *4m* before singular *noun*:
cúpla nóta a few (a couple of) notes.
an c. the twins
an dara duine den ch. the second twin = **an leathchúpla eile**.
cur *vn* of **cuir**.
cur síos a description,
déan c. s. ar describe.
cúram *1m* care.
cúramach *adv* careful = **faichilleach**.
cúrsa *4m* course,
cúrsaí maoinithe funding issues,
cúrsaí an tsaoil 'life', the matters of the world.
cúrsaí sláinte health matters
custaiméir *3m* customer.
cúthail *adj* shy = **faiteach**.

dá *conj* if (+ *condit./imperf.*)
daichead forty = **ceathracha**.
daille *4f* blindness.
daingean *adj* steadfast = **láidir**.
greim d. a tight grip, *pl* **daingne**
d. ar a chosa steady on his feet.
dálach *1m*, *in phr* **Domhnach is d.** Sunday and every other day.
dallóg *2f* a blind, *pl* **~a**.
dalta *4m* pupil = **scoláire**.
damáiste *4m* damage = **dochar**.
damhsa *4m* dance = **rince**.
dán *1m* poem,
d. molta eulogy, praise poem;
i ndán (**do**) destined.
dánlann *2f* gallery, *npl* **~a**,
An D. Náisiúnta The National G.
daoine people < *pl of* **duine**.
daonnacht *3f* humanity.
daor *adj*. expensive, dear = **costasach**.
daoraidh *in phr* **chuaigh ar an d.** went mad = **ar mire**.
dár see **cas**.
dar *defective verb*
d. liom I think, methinks;
dar leat? do you think?
dara second
ní raibh an d. ceann in Éirinn mar é there was not another one in Ireland like it (*m*).
darbh ainm (who was) called - **darb ainm** (who is) called.
dáta *4m* date.
dath *3m* colour,
a dh. ar bith anything, nothing = **rud ar bith** = **aon ní**.
de of, off (**díom**, **díot**, **de**, **di**, **dínn**, **díbh**, **díobh**)
de réir according to (+ *gen.*), see **réir**.
dea-, *prefix* 'good', see **droch(-)**.

dea-iompar *1m* good behaviour, see **mí-iompar**.

dea-scéala *4m* good news = **scéala maith**.

dea-shampla *4m* a good example = **sampla maith**.
ar an dea-uair domh fortunately for me.

deacair *adj* difficult = **doiligh** *U*.

deachthas *dep. past aut. of* **téigh** go.

deacracht *3f* difficulty = **fadhb**, **trioblóid**, **constaic**.

dealbh *2f* statue.

déan *v* do, make, *fut. aut.* **~far**.

déanaí *4f* **ar a dh.** at the latest = **ar an chuid is moille.**
le déanaí recently = **ar na mallaibh** = **le deireanas**.

dear *in phr* **tabhairt fá d.** to notice *U* = **faoi deara** *Std.*

dearc *v* look = **amharc**, **breathnaigh**, *vn* **dearcadh**.
Prov. **Dearc chugat mar a dhearcas tú uait**! Look to yourself as you look on others, i.e. judge not lest ye be judged.

dearfa *adj* certain = **cinnte**.

déarfadh would say < **abair**.

dearmad *1m* **rinne mé d. (glan)** I (clean) forgot, see **cloigeann**.

deartháir *5m* brother.

deas *adj* nice.

dea-scéala *4m* good news, see **dea**.

deifre *4f* haste *U* = **deifir** *Std.*
faoi dh. hurriedly,
d. mhór a great hurry = **driopás**.

déileáil (**le**) *vn* to deal (with)

déileálaí *4m* dealer = **ceannaitheoir** *nó* **díoltóir**.

deireadh used to say, < **abair**.

deireadh *1m* end,
sa d. at last,
sa d. thiar thall at long last,
go raibh d. linn that we were done for = **go raibh an bás againn**.

deireanach *adj* last,
is deireanaí latest.

deirfiúr *irr.f* sister.

deirtear see **abair** say.

deis *2f* opportunity = **seans**, **faill**, **áiméar**;
ó cuireadh d. air since it has been fixed up = **ó cóiríodh é.**

deisiú *vn* to fix, repair = **cóiriú**.

deo *in phr.* **go d.** (n)ever = **go brách**. See **choíche**.

deoch *2f* drink.

deoir *2f* tear,
agus na deora leis crying = **agus é ag caoineadh**;
drop = **braon**, **bolgam**.

deoraí *4m* exile, *in phrase* **duine ná d.** no-one whatsoever, see **neach**.

dhá two + *noun*:
dhá mhála (mhóra) two (large) bags.

dhó two, **mír nó dhó** an item or two.

dhul form of 'to go' as an infinitive, when not preceded by **ag**. See **dul**.

diaidh, i nd. (+ *gen.*) after = **tar éis** (+ *gen.*),
bhí sí go díreach i nd. bróga úra a cheannach(t) she had just bought new shoes.
d. ar nd. gradually = **de réir a chéile.**

dialann *2f* diary = **cín lae**.

dian *adj* hard, strenuous (of work, study).
See **crua**, **dícheallach**.

díbh of you (*pl*), see **de**.

díbhirce *4f* eagerness, see **dúthracht**.

dícheall *1m* best endeavour,
rinne mé mo dh. I did my best,
rinne mé mo sheacht nd. I did my absolute utmost.

dícheallach *adj* diligent,
ag staidéar go dian d.

studying to the best of one's ability.
dícheangailte *adj* disconnected < **dí** + **ceangailte** 'tied'.
dífhostaithe *adj* unemployed = **gan phost.** See **fostaigh**.
dílis *adj* dear, loyal, **a chairde dílse** dear friends.
díobháil *3f* **de dh. ar** need, want = **de dhíth ar** = **(ag teastáil) ó**.
díomá *4f* disappointment. See **meallta.**
diomaite *in phr* **d. de** apart from = **taobh amuigh de**, **seachas**.
díospóireacht *3f* debate = **plé** = **argóint** = **caint**; **comórtas ~a** a debating competition.
díreach *adj* straight, see **caol**; **go d.** just, **d. in am** just in time.
dís *2f* two people = **beirt**.
dise *emph. form of* **di, ag éirí dise** as she was getting up.
díth *2f* **de dh. (ar)** needed (by), wanted, see **díobháil**, **teastáil**.
diúlach *1m* boyo, *voc. sg.* **Bhuel, a dhiúlaigh** Well, b. = **stocach**.
diúltaigh *v* refuse, *vn* **diúltú** to refuse *or* a refusal. *past aut.* **Diúltaíodh glacadh liom** I was not accepted, see **droim.**
diúltú *2m* a refusal, see **diúltaigh**.
dlíodóir *3m* lawyer.
dlite (do) *adj* entitled (to).
dlúthdhiosca *4m* compact disc.
do *prp* to, for (**domh/dom**, **duit**, **dó**, **di**, **dúinn**, **daoibh**, **dóibh**).
dochar *1m* harm = **damáiste**.
dóchas *1m* hope, optimism.
dóchasach *adj* optimistic.
dódh 'was burned' see **dó**.
dóiche *used with copula* **is d**. it is likely *U* = **is dócha/dóigh** *Std.*
doiciméad *1m* document = **cáipéis**.
dóigh *2f* way, **ar nd.** of course, **cad é an d.?** how? = **cad é mar?**, **conas?**, **sa d. (is) go** in order that, **am ar d.** an excellent time, **ar dh.** in a way = **ar shlí**, *pl* **na dóigheanna ar féidir leis an domhan fhorbartha** the ways in which the developed world can.
dóigh *v* burn, *vn* **dó**, *past aut.* **dódh**.
doiligh *adj* difficult = **deacair**.
doirt *v* spill, *vn* **~eadh**, *fut* **~fidh**.
doirte *adj* spilled, **d. do** fond of = **tugtha do**.
domh to/for me *U* = **dom** *Std.*
domhan *1m* world, *gs* **-ain**, **ar son an Tríú Domhan** for the third world, **brón an domhain** great sorrow = **brón as cuimse** = **brón an-mhór**.
donas *1m* badness.
donn *adj* brown.
dorcha *adj* dark **ag éirí d.** getting dark = **ag dul ó sholas**.
dorchadas *1m* darkness.
dorn *1m* fist,
lán doirn a fistful = **glac**; *Prov.* **Is fearr lán doirn de cheird ná lán mála d'ór.** Better a fistful of a trade than a bagful of gold.
dosaen see **duisín**.
dóthain *4f* enough, sufficiency, fill = **sáith** = **go leor**. **mo dhá dh**. more than my fill = **mo sheacht sáith**.
dream *3m* crowd, group of people.
dreapadóireacht *3f* climb(ing).
dréim *vn* **ag d. le** expecting = **ag súil le, ag dúil le.**
driopás *1m* haste, see **deifre**.
drisiúr *1m* dresser.
droch(-) *prefix* bad (see **dea-**). **drochaimsir** bad weather. **droch-chuideachta** *4f* bad company, see **fan**. **drochnósanna** *1m* bad habits.

drochphointí *4m* bad points, snags = **míbhuntáistí**.
drochscéala *4m* bad news.
drochshlaghdán *1m* a bad cold.
drochspionn *4m* a bad mood.
drochuair *2f* **ar an d.** unfortunately.

droim *3m* back,
tugadh d. láimhe dó
he was refused =
diúltaíodh glacadh leis.

druid *v* close, *vn* **~im**;
past aut. **sular druideadh é**
before it was shut.
See **dún**.

druid *3f* **am druda** closing time *U*.

duais *2f* prize.

dualgas *1m* duty = **oibleagáid**.

dubh *adj* black,
ó dh. go d. from morning to night.

dúchas *1m* birthright, nativeness.
Is as Iúr Cinn Trá ó dh. mé.
I come from Newry (Co. Down) originally.
mo bhaile dúchais my native town.
See **cainteoir**, **nádúr**.

duga *4m* dock, *pl* **~nna**.

dúiche *4f* district = **ceantar**.

duifear *1m* difference *U* = **difear** *1m* = **difríocht** *3f Std*.

dúil *2f* liking,
d. ag (**i**) fond (of),
d. bhocht ag (**i**) extremely fond (of).
ag d. le expecting *U* =
ag súil le, **ag dréim le**.

duilliúr *1m* foliage.

duine *4m* person *pl* **daoine**,
d. clainne child, baby =
páiste, leanbh.

dúiseacht *vn* **bhí mé i mo dh**. I was awake = **bhí mé múscailte** *U*.

dúisigh *v* awaken = **múscail**.

duisín *4m* dozen *U* = **dosaen** *Std*.

dul to go < **téigh**,
(except after **ag** this *vn* is aspirated as an infinitive: (**a**) **dhul** *U*).
ceol a chur a dh. to play, turn on music.
ag d. ar aghaidh going on.
See **gabháil**.

dún *v* close, *vn* **~adh**,
past aut. **dúnadh an siopa**
the shop was/had been closed =
druideadh an siopa *U*.

Dún *pn* **Contae an Dúin**
County Down.

Dún na nGall *pn*
Donegal ('Fort of the Foreigners') =
Tír Chonaill.

Dún Laoghaire *pn*,
name of a port outside Dublin.

dúradh was said *past aut.* < **abair**.

dúthracht *3f* endeavour,
gan d. gan díbhirce
without eagerness or endeavour =
gan stró gan streachailt
without exertion or effort.

dúthrachtach *adj* fervent.

éacht *3m* deed, **móré**. heroics.

éachtach *adj* eventful, *gsf* **éachtaí**.

eachtra *4f* adventure, episode.

éad *3m* jealousy,
éad ar le jealous of = **tnúth ag le**.

éadan *1m* forehead,
in é. against (+ *gen*) = **in aghaidh**.

éadrom *adj* light.

eagal *adj* fearful, **níorbh e. di**
there was no danger of her =
níor bhaol di.

eagar *1m* organisation, order;
ord agus e. ar
well organised, neat and tidy.

eagla *4f* fear = **scáth, ar e. (na he.)**
just in case, for fear.
Ná bíodh e. ar bith ort.
Have no fear. See **bás**.

eagraigh *v* organise = **reáchtáil**,
vn **eagrú**, *pres*. **eagraíonn**.

eagraithe *adj* organised.

éagsúil *adj* various, *pl* **-úla**.

ealaín *2f* art.

ealaíontóir *3m* artist, *gs* **-óra**.

earra *4m*, *pl* **na hearraí**
the goods, groceries.

easpa *4f* lack, want =
ganntanas, **díobháil**, **díth**.
éifeachtach *adj* effective.
éigean *1m* necessity,
b'éigean domh I had to = **bhí orm**
= **bhí agam le**.
dá mb'é. é if it were necessary,
is ar é. a chreid sé mé
he barely believed me =
ní mó ná gur chreid sé mé,
see **mór**.
éigin some *Std* = **inteacht** *U*.
éiligh *v* demand, *pres*. **éilíonn** =
iarrann.
éineacht *in cpd prp* **in é. le**
in the company of =
i gcuideachta (+ *gen*.) =
i dteannta (+ *gen*.).
Éire *5f* Ireland,
dat. **in Éirinn** in Ireland
gen. **ar fud na hÉireann**
throughout Ireland.
éirigh get up, *vn* **éirí**,
imperf. **ní éiríodh léi**
she used not to succeed, manage.
See **thar**.
éiríonn fadhbanna problems arise.
éirí as to retire, give up.
ag éirí imníoch getting worried,
éireoidh an tae tais
the tea will get damp,
see **airde**, **dorcha**.
éis in *cpd prp* **tar éis** (+*gen*) after =
i ndiaidh.
eisceacht *3f* exception.
eisigh *v* issue, *vn* **eisiúint**.
éisteacht (**le**) *vn* to listen (to),
see **lucht**.
eitilt *2f* flight.
eitleán *1m* aeroplane.
eochair *5f* key, *pl* **eochracha** keys.
eochairchlár *1m* keyboard.
eol *1m* **níorbh e. di**
she did not know =
ní raibh a fhios aici =
níorbh fhios di.
eolach (**ar**) *adj* knowlegeable
(about).
eolas *1m* knowledge,
ag iarraidh eolais
asking for information;
níl aithne ná e. agam orthu
I have no idea who they are.
See **tuilleadh**.
Eoraip *3f* **An E**. Europe,
see **Mór-roinn**.
Eorpach *1m* European, *pl* **Eorpaigh**
Europeans.

fá about *U* **faoi** = **mar gheall ar**;
fá choinne = for.
níl mé fá choinne dhul amach
I do not intend to go out =
ag brath dhul amach.
fá dear notice *U* = **faoi deara** *Std*.
fá dtaobh de about him *U* = **faoi** =
mar gheall air.
fabhar *1m* **i bhf**.
in favour of (+ *gen*.).
fabhrú *vn* developing = **forbairt**.
facs *4m* a fax.
fách *cpd prp* **bhí sé i bhf. le**
he was in favour of,
he supported (team).
facthas *past aut*. **nach bhfacthas**
was not seen, see **feic**.
fad *1m* length, **cá fhad?** how long?,
a fh. is (**go**) as long as,
provided that.
a fh. le up to, as far as.
i bhf. níb fhearr
much better (*past/condit*.).
i bhf. ó far from
bheinn ansin ar f.
I'd be there yet/still.
See **malairt**.
fada *adj* long, **níorbh fh. anois**
it would not be long now =
ba ghearr, ba ghairid;
dhá mhí ab fhaide ná an
tsíoraíocht
two months longer than eternity.
fadálach *adj* slow = **mall**.
fadhb *2f* problem =
deacracht, see **mionfhadhb**.

fág *v* leave, *vn* **~áil**, **fágtha** left.
See **fúm**, **lár**.
faic *2f* anything, nothing =
a dhath ar bith, rud ar bith, dada(idh), aon ní.
faichilleach *adj* careful =
cúramach.
faigh *v* get, *vn* **fáil**, **faighim**
I get; **gheobhaidh**, **-faighidh**
will get, see **fuarthas**.
fáil *vn* to get,
le f. available, to be had,
f. amach fá to find out about.
fáilte 4f welcome,
f. a chur roimh to welcome;
an gcuireann lucht an óstáin f. roimh pheataí?
do the hotel staff welcome pets?
See **beatha**.
faill *2f* opportunity =
seans, **áiméar**, **deis**.
fáinne *4m* ring, *pl* **-nní**.
faisnéis *2f* information, see **clár**.
faiteach *adj* shy = **cúthail**.
faitíos *1m* fear, shyness,
bíonn f. uirthi she is shy;
ar fh. in case = **ar eagla**.
falsa *adj* lazy = **leisciúil**.
fan *v* stay, wait, *vn* **~acht**.
Fan amach ó dhroch-chuideachta.
Avoid bad company.
fán about the *sg* (**faoin** *Std*).
fán am seo by this time/stage.
fána about his/her/their (**faoina** *Std*).
faoi under (**fúm**, **fút**, **faoi**, **fúithi**, **fúinn**, **fúibh**, **fúthu**).
Bhí an teach fúithi féin.
She had the house to herself.
Fág sin fúmsa. Leave that to me.
f. mar a bhí beartaithe
as planned (past).
faoin chéad percent.
tá fúinn we intend to = **tá rún againn** = **tá ar intinn againn**.
faoiseamh *1m* relief.
faopach *in phr* **san fh.** in trouble,
dire straits = **san abar, i bponc, i dtrioblóid**.
farraige 4f sea = **muir**; see **lear**.
fásta *adj* grown, **duine f.** adult.
fáth *3m* reason = **cúis**, *pl* **fáthanna**;
cén fáth? why? = **cad chuige?** =
cad ina thaobh? (+ *indir. rel.*)
feabhas *1m* excellence,
ar fh. excellent = **thar barr, thar cionn**, **ar dóigh**, **iontach maith**;
f. a chur ar to improve =
feabhsú, **leasú**.
feabhsaigh *v* improve, *vn* **feabhsú**,
see **feabhas**.
féach *v* try, **cad é mar a fhéachann an coiste (le)?**
how does the committee try (to)?
feachtas *1m* campaign.
fead *2f* whistle,
f. ghlaice a finger whistle.
féad *v* be able to, *vn* **~achtáil**,
d'fhéadfaí a rá one could say,
d'fhéadfadh sé drochnósanna a thógáil
he could learn bad habits.
ní fhéadfainn I could not =
ní thiocfadh liom.
See **cuir** (**cur faoi**).
feadh *in* **ar f. míosa** for a month.
ar f chúpla lá
for a few days (*asp.* in *U*).
feadóg *2f* whistle; **f. mhór** flute.
fearg *2f* anger.
fearr see **maith**.
feasta *adv* henceforth,
am ar bith f. anytime now.
féasta *4m* feast = **fleá**, see **caith**.
feic *v* see, *vn* **~eáil** *U* = **feiscint** *Std*.
See **tchí, facthas**.
feidhm *2f* use = **úsáid**,
chuaigh sé i bhf. orm
it impressed/influenced me,
see **tionchar**, **tuilleadh**.
feidhmiú *vn* to function.
féidir *with cop.* **is f. le** can = **thig le**;
níorbh fh. it was not possible,
a oiread agus is f.

as much as possible (*pres./fut.*);
see **ábalta**, **ann**, **gasta**.
feil (do) *v* suit, **feileann do** suits =
fóireann do = **oireann do**.
féile *4m* festival, saint's day;
Lá Fh. Pádraig St Patrick's Day.
féilire *4m* calendar.
feiliúnach *adj* suitable =
fóirsteanach = **oiriúnach**.
féin *pron.* self; **má ... f.** even,
má bhí sí traochta
f. even if she was exhausted,
inné féin (why) just yesterday,
see **aréir**.
féinmhuinín *2f* self confidence <
féin + **muinín**.
feitheamh *1m* wait = **fanacht**.
liosta(í) feithimh waiting list(s).
See **achar**.
fhaide see **fada**.
fiach *1m* debt. **báite i bhfiacha**
in debt and danger. See **glan**.
fiacail *2f* tooth, **bhur gcuid fiacla**
your teeth.
fiaclóir *1m* dentist,
i seomra an fhiaclóra
in the dentist's (room).
fiafraigh (**de**) *v* ask, enquire (of);
vn **fiafraí**,
d'fhiafraíodh sí di féin
she used to ask herself,
fut. aut. **an bhfiafrófar díom?**
will I be asked? =
an gcuirfear ceist orm?
past aut. **nuair a fiafraíodh díom**
when I was asked.
fianaise *4f* evidence,
cpd prp **i bhf.** in the presence of
(+ *gen.*) = **os comhair**.
fiánta *adj* wild.
fichiú twentieth.
figiúr *1m* figure, *pl* **-úirí**.
file *4m* poet.
fill(eadh) see **pill(eadh)**.
finné *4m* witness.
fíochmhar *adj* fierce, ferocious.
fíor *adj* true; *as prefix*:
fíorbhuíoch extremely grateful,
fíorchinnte absolutely certain,
fíormhaith excellent.
fios *3m* knowledge,
tá a fh. agam I know - see **eol**,
le f. nó le hamhras just in case =
ar eagla na heagla;
cad é a thug le fios do Sh.?
what told/indicated to S.?
fiosraigh *v* investigate, *vn* **fiosrú**.
fírinne *4f* truth,
déanta na f. to tell the truth *or*
leis an fh. a dhéanamh.
Deir siad go bhfuil an fh. searbh ach, creid mise, ní searbh atá sí ach garbh agus sin an fáth a seachantar í.
'They say that truth is bitter but, believe me, it is not bitter but harsh and that is why it is avoided'.
Dramatic opening lines of *Mo Bhealach Féin* ('My Own Way') by Seosamh Mac Grianna (1900-90).
Fisic *2f* **An Fh.** Physics.
fístéip *2f* videotape.
fiú worth, **gan f.** even.
fiúntach *adj* worthwhile.
flaitheas *1m* **sna flaithis** in heaven,
paradise = **ar neamh.**
fleá *4f* banquet = **féasta**.
focal *1m* word,
f. a chur ar to reserve =
cur in áirithe.
fógair announce, advertise, *vn* **~t**,
past aut. **fógraíodh post**
a job was advertised.
fógra *4m* advertisement, notice.
See **aistrigh**.
foghlaim *v* learn, *vn* **~**,
ag f. an tsiúil learning to walk.
foghlaimeoir *3m* learner.
foighid *4f* patience *U* = **foighne** *4f*
Prov. **Faigheann f. fortacht.**
Patience gets its reward.
foighdeach *adj* patient =
foighneach.
foighneach see **foighdeach**.

foilsigh *v* publish, *vn* **foilsiú**, *past aut.* **foilsíodh**, *fut. aut.* **foilseofar**, *condit. aut.* **go bhfoilseofaí**.
foilsithe *adj* published.
fóir suit = **feil**, *vn* **fóirstean**, see **fóirsteanach**. *Prov* **Ní fhóireann teas ná fuacht don chailligh**. 'Neither heat nor cold suits the old hag', i.e. 'There's no pleasing some people'.
foireann *2f* team, crew = **criú**, **stair na foirne** the history of the team, **f. báid** a boat's crew.
foirfe *adj* perfect.
foirgneamh *1m* building.
foirm *2f* form, *pl* **~eacha**.
foirmiúil *adj* formal = **oifigiúil**.
foirne see **foireann**.
fóirsteanach *adj* suitable (see **fóir**) = **feiliúnach** = **oiriúnach**.
folamh *adj* empty.
folcadh 3m bath.
folláin *adj* healthy = **sláintiúil**.
folúntas *1m* vacancy.
fonn *1m* mood, **tá f. orm** I have a mind to, I feel like; **d'fh. níos mó daoine óga a mhealladh** in order to entice more young people = **chun, le**.
fonnmhar *adj* **go f.** willingly, with relish = **le fonn**.
forbartha *adj* developed.
forleathan *adj* widespread = **leitheadach** = **coitianta**.
formhór *1m* **i bhf. na gcásanna** in the majority of cases = **sa chuid is mó de na cásanna** = **i mbunús na gcásanna**.
fórsa *4m* force.
fortacht *3f* reward, aid, relief = **faoiseamh**. See **foighid**.
fós *adv* yet, still = **go fóill.**
fostaigh *v* employ, *vn* **fostú**, *fut. aut.* **fostófar** (**rúnaí**) (a secretary) will be employed = **ceapfar rúnaí**. See **dífhostaithe**.
fostaitheoir *3m* employer.
Frainc *2f* **An Fh.** France.
frása *4m* phrase = **abairt**.
freagra *4m* answer.
freagracht *3f* responsibility.
freastail *v* attend, *vn* **ag freastal (ar)** attending.
freastalaí *4m* waiter.
fríd *prp* through *U* = **trí** *Std*.
fuacht *3m* cold.
fuadar *1m* bustle. **Bíonn i gcónaí f. mór faoi.** He is always in a rush.
fuaim *2f* sound *pl* **~eanna**.
fuar *adj* cold, **níb fhuaire** colder (*past/condit.*).
fuarthas was got *past aut.* < **faigh**. See **thángthas** (under **tar**).
fuath *3m* hatred, *with cop.* **b'fh. leis** he detested = **ba bheag air**.
fud *in cpd prp* **ar f.** (+ *gen.*) throughout.
fuilstin *vn* to suffer, tolerate *U* = **fulaingt** *Std*.
fuiltear *pres. aut. dep. of* **bí**, **nach bhf. ábalta** that one is not able.
fuinneamh *1m* energy, **lán de bhrí is d'fh**. full of vim and vitality.
fúithi under her, see **faoi**.
fúinn under us, see **faoi**.
fúmsa under me *emph*., see **faoi**.
furasta *adj* easy = **furast** *U* = **simplí**.

gá *4m* necessity. **ní g. dúinn** we need not. See **géarghá**.
gabh *v*, *vn* **buíochas a ghabháil (le)** to thank, **ghabh buíochas** thanked. **Gabh** *as variant of both* **téigh** 'go'

and **tar** 'come'.

gabháil *vn* of **gabh**, **ag g. don Cheimic** studying Chemistry, **ag g. do m'obair bhaile** doing my homework.

gach every *Std* = **achan** *U* (< **gach** + **aon**) **g. a raibh uaithi** all she needed, wanted.

gadaí *4m* thief = **rógaire**, *pl* **gadaithe**.

gadaíocht *3f* theft, thieving.

Gaeilge *4f* **An Gh.** the Irish language.

Gaeilgeoir *3m* Irish speaker.

Gaeltacht *3f* Irish-speaking area.

Gaillimh *pn* Galway, **i nG**. in Galway. **Contae na ~e** County Galway.

gaineamh *1m* sand.

gáire *4m* laugh.

gairid *adj* short = **gearr**. See **cuairt**.

gairm *2f* profession = **slí bheatha** = **post**.

gairmiúil *adj* vocational, professional = **proifisiúnta**.

galánta *adj* beautiful *U* = **álainn**.

galf *1m* golf.

gála *4m* gale = **stoirm**.

Gallchóireach *1m* 'Gallagher', person whose surname is Ó Gallchóir.

ganntanas *1m* shortage, scarcity = **easpa**.

gaol *1m* relation, relative, *pl* **~ta**.

gaolmhar *adj* related = **muinteartha**, *prov*. **Más g. ní cosúil.** If we/they etc. are related we/they are not alike.

Gaoth Dobhair *pn* Gweedore (Co. Donegal).

gar *1m* favour, **ba mhór an g.** (**gur/go**) it was a good job (that). **Is mór an g. duine mar Len a bheith inár measc,** We are fortunate that someone like Len should dwell (be) among us.

garáiste *4m* garage.

garbh *adj* rough, harsh, see **fírinne**.

garda *4m* guard, policeman, *pl* **gardaí**; **G. an Chósta** The Coastguard.

garmhac *1m* grandson.

gasta *adj* quick = **tapa**, **mear**; **comh g. agus ab fhéidir leis** as quick as he could = **an méid a bhí(odh) ina chorp**.

gasúr *1m* boy, *pl* **gasraí** *U* = **gasúir** *Std*.

geal bright, **g. bán** bright white (of cloth); pale, ashen (of face).

geall *1m* bet **Bíodh g. gur sin an áit a bhfuil sé** I bet that is where he is. **mar gh. ar** on account of, as regards = **fá dtaobh de, i dtaobh.**

geall *v* promise, **gh. sé dúinn** he promised us = **thug sé a fhocal dúinn**, *vn* **geallstan** *U*, **gealladh** *Std;* *fut*. **geallfaidh** will promise, *pres. aut.* **gealltar daoibh** you are assured.

gealltanas *1m* promise, guarantee = **barántas**.

géar *adj* sharp.

géarghá *4m* urgent, pressing need. See **riachatanas**.

gearán *vn* **ag g. (fá)** complaining (about) = **ag casaoid, ag tabhairt amach**.

gearr *adj* short = **gairid**; **is g. go** = **ní fada go** it will not be long.

gearr *v* cut, *fut. auton*. **gearrfar siar** will be cut back, *past aut.* **gearradh** was/were cut.

geata *4m* gate, see **leanbh**.

geimhreadh *1m* winter.

geit *2f* jump, **baineadh g. asam** I was taken aback. See **biongadh**, **scanraigh**.

gheobhadh would get < **faigh**.

gheofar will be got *fut.aut* < **faigh**. see **greim**.

giar *1m* gear, *pl* **~anna**.
gile *4f* brightness.
ginearálta *adj* general.
giorrú *vn* to shorten.
glac *v* take, *vn* **~adh**.
past. aut. **glacadh grianghraf** a photograph was taken = **tarraingíodh grianghraf**
ghlac mé leis I accepted it.
glacadh leis it was assumed.
glac *2f* grip (part of) hand = **dorn**, **lámh**, see also **fead**.
glan *v* clean, **fiacha a ghlanadh** to clear debts.
glaoch *1m* a call = **scairt**.
glaoigh *v* call = **scairt**.
glas *1m* lock
cur faoi gh. to lock.
Glaschú *4m pn* Glasgow.
glasra *4m* vegetable, *pl* **~í**.
gléas *1m* means,
g. taistil means of transport.
gléasadh *vn* to dress.
gléasta *adj* dressed, see **innealta**.
seomraí g. changing rooms = **seomraí feistis**.
glic *adj* shrewd, prudent = **cliste**, **críonna.**
gliondar *1m* mirth = **áthas, lúcháir**.
glóir *2f* glory, see **rí**.
glór *1m* voice.
glórmhar *adj.* glorious.
glúin *2f* knee.
gnách *adj* customary,
Ba gh. liom(sa) (a) bheith I used to be = **Bhínn(se)**.
mar is g. as usual.
gnaithe business *U* = **gnó** *Std*,
sna gnaithí seo in these matters = **sna gnóthaí seo**.
gnaitheach *adj* busy *U* = **gnóthach** *Std*.
gnáth(-) usual,
g.-Shatharn, a usual Saturday,
gnátham usual time,
an gnáth-t(h)uras the usual journey,
de gh. usually.
gné *4f* aspect.
gnó *4m* business, **as g.** out of b., see **gnaithe**; **sula dtéitear i mbun g. <u>aris</u>** before they (= one) recommence their activities.
gnóthaigh gain, earn, *vn* **gnóthú**.
gnúis *2f* countenance.
goid *v* steal = **sciob**; *vn* **~**, *past aut.* **~eadh**.
goile *4m* appetite.
goill *v* hurt, annoy, distress emotionally = **cuir isteach ar**, *vn* **~stean** U = **~iúint** *Std*.
goitse come here U = **tar anseo** *Std*, **gabh i leith**
Gort an Choirce *pn* Gortahork (Co. Donegal).
gortaigh *v* hurt,
vn **ar eagla go mbeadh siad á gortú** in case they might hurt her.
grá *4m* love,
g. a chroí ag … **do** to love dearly.
grabhróg *2f* crumb, *npl* **~a**.
grád *1m* grade, *pl* **gráid**.
gradam *1m* esteem = **urraim**, **meas**.
gráinnín *4m* grain, *pl* **~í**.
gramadach *2f* grammar.
greadadh *vn* to thrash,
bheith ag greadadh leo a luí to be heading off to bed.
grean *1m* gravel, grit, *gs* **grin**.
greann *1m* fun, humour, *gs* **grinn**.
greannmhar *adj* humorous, funny;
cinn ghreannmhara funny ones.
greim *3m* grip, hold, *pl* **greimeanna**
g. bídh *(U* = **g. bia** *Std*) snack, 'a bite to eat',
gheofar g. air he will be caught = **béarfar air.**
grian *2f* sun, *gs* **gréine**.
grianghraf *1m* photograph = **pictiúr**, *pl* **-aif**.
grin *gen. sg.* of **grean**.
grinneall *1m* bottom of the sea = **go bun na farraige**, **go tóin**.

gruaim *2f* gloom,
faoi gh. despondent, down in the dumps = **faoi bhrón**.
grúpa *4m* group.
guigh *v* pray, *vn* **guí**,
pres. **Guím Dia (go)**
I pray (to) God (that).
gurb < *pres. cop.* **gur, cé gurb annamh leis**
although he rarely.
guth *3m* singing voice
(as opposed to **glór** spoken voice),
g. maith cinn a fine singing voice.
guthán *1m* phone, see **póca**.

haincearsan *m* handkerchief = **ciarsúr.**
halla *4m* hall,
na hallaí cónaithe
the halls of residence.
hInsíodh was told, see **inis**.

i *prp* in (**ionam**, **ionat**, **ann**, **inti**, **ionainn**, **ionaibh**, **iontu**).
iar *prefix* ex-, post-
iarbhanaltraí former nurses,
iarbhéile dessert = **milseog**,
iarbhéile 'after dinner',
óráid iarbhéile postprandial speech = **caint iarphroinne**.
iarnáil *3f* ironing, smoothing = **smúdáil**.
iarr ask, request (someone to do something), *vn* **iarraidh**;
ag iarraidh trying, requiring.
Ní bhíodh á iarraidh ón pháipéar aici ach sin. That is all she wanted the paper for.
i ndiaidh iarraidh nó dhó
after one or two attempts.
ag síoriarraidh continuously trying,
an iarraidh seo this time/occasion.
ar iarraidh missing = **ar lár**, **caillte**.
iarracht *3f* attempt,
in ainneoin na hiarrachta sin
in spite of that effort.
iarraidh see **cead**, **iarr**.
iarratas *1m* application.
iarsmalann *2f* museum = **músaem**.
iasacht 3f loan,
tabhair domh ... ar i. lend me......
iascaireacht *3f* fishing,
cumann ~a fishing club.
idir *prp* between, see **comhairle**;
idir ... agus both,
idir am agus airgead
both time and money.
idir an dá linn in the meantime
idirlíon *1m* internet, www.
idirnáisiúnta *adj* international.
ilchumasach multi-talented = **ildánach**, see **cumas**.
ildánach *adj* versatile.
im *2m* butter.
imeacht *vn* to leave (see **imigh**),
3m event **imeachtaí an Chumainn Ghaelaigh** the proceedings/affairs of the Gaelic Society.
le hi. ama gradually, eventually = **de réir a chéile**, see **imigh**, **réir**.
imeall *1m* edge = **bruach**,
ar i. (+ *gen.*) on the e. (of).
imigh *v.* leave, go off, depart;
vn **imeacht**. See **cloigeann**.
imir *v* play, *vn* **~t**, *pres* **imríonn**.
See **páirc**.
imirce *4f* emigration,
dul ar i. to emigrate = **dul thar lear** = **dul thar sáile**.
imithe *adj* gone = **ar shiúl**.
imní *4f* worry.
ná bíodh i. ort do not worry = **ná bí buartha**. See **ábhar**.
imníoch *adj* worried.
impigh *v* implore, *vn* **impí**,
pres. **impím ort** I implore you.
imreoir *3m* player.
inchurtha (**le**) *adj*. comparable (to),
see **comparáid**.
infheistíocht *3f* investment.
iníon *2f* daughter,
pronounced **níon** *U*.
inis *v* tell, *vn* **inse** *U* = **insint** *Std*.

hInsíodh was told = **Insíodh** *Std* = **dúradh le** was said to. See **iúl**.

Inis Ceithleann *pn* Eniskillen (Co. Fermanagh).

Inis Eoghain *pn* Inishowen (Co. Donegal).

inné *adv* yesterday.

inneall *1m* engine.

innealta *adj* ordered, neat, **gléasta go hi.** very well dressed.

innealtóir *3m* engineer.

innealtóireacht *3f* engineering.

inniu *adv* today, **sa lá atá i. ann** nowadays = **sa tsaol chomhaimseartha** = **ar na saotta seo**.

inse see **inis**.

institiúid *2f* institution.

inteacht *adj*. **rud i.** something *U* = **rud éigin** *Std*, **éicint** *C*.

inti in her/it *f*. < **i** 'in'.

intinn *2f* mind, see **sásamh**. **bhí sé ar i. aici** she intended = **bhí rún aici = bhí sí ag brath.** **ar aon i. le** in (total) agreement with.

íoc *v* pay, *vn* ~ = **díol** *U*. *condit*. **d'íocfadh as an turas** would pay for the trip, *imperf*. **(d')íocadh.**

íocaíocht *3f* payment.

Iodáil *2f*, **An I.** Italy.

Iodálach *adj* & *1m* Italian.

iógart *1m* yoghurt.

iomarca *4f* **an i.** too much = **barraíocht** = **an iomad**.

iomláine *4f* entirety.

iomlán *adj* whole, entire = **ar fad, uilig,** see **uile**. **i. cinnte** totally sure, **i. dá raibh** all who were.

iomlatach *adj* mischievous.

iompair *v* carry, *vn* **iompar**. See **dea-iompar**, **mí-iompar**.

iomrá *4m* mention = **trácht**, **níl i. ar bith go fóill air** there is no word of him yet.

iomramh *vn* to row (boat).

ionad *1m* centre, **i. spóirt** sports centre.

ionann *adj* same, **Is i. X agus Y.** X is the same as Y. **b'i. sin agus a rá** that meant (*past*).

ionat in you < **i**.

ionraic *adj* honest, **le bheith i.** to be h. = **leis an fhírinne a dhéanamh** = **chun an fhírinne a rá.**

ionsair towards him = **chuige**.

iontach *adj*. wonderful. See **sár**(-).

iontaofa *adj*. trustworthy = **thig/is féidir brath air** he can be depended on.

íosf- < **ith** will/would eat (**íosfaidh/d'íosfadh**).

iris *2f* magazine, see **tabhairt faoi**.

íseal *adj* low.

ite *vadj* eaten.

ith *v* eat, *vn* **~e**, *pres. subj*. **sula n-ithe mé** before I (may) eat, *condit*. **d'íosfaidís** they would eat = **d'íosfadh siad**. *past* **d'ith muid dinnéar** we ate dinner = **chaith muid d.** 'we consumed'.

iúl *1m* **a chuireann in iúl** which indicates = **a léiríonn**, **chuir sibh in iúl dóibh** you let them know = **d'inis sibh dóibh**. **le cur in i. don tslua** to indicate to the crowd.

Iúr Cinn Trá *pn* Newry (Co. Down) = **An tIúr.**

jab *4m* job = **post**.

lá *irr.m* day, *gs* **lae**, **laethanta saoire** holidays. **gan lá chuige ná uaidh** to the very day. See **turas**.

labhair *v* speak, *vn* **~t**, *imperf*. **labhradh** *U* =

labhraíodh *Std* used to speak.
lách *adj* decent, friendly = **cairdiúil**.
ladhar *2f* space between toes,
pl **ladhracha**.
lae see **lá.**
laethúil *adj*. daily.
Lagán *pn*, **An Lagán**
The River Lagan (Belfast),
Bord Sláinte agus Seirbhísí
Sóisialta an Lagáin
The Lagan Health and Social
Services Board.
laghad *4m* **imní dá laghad**
the least worry.
ar a l. at least.
láidir *adj* strong , see **daingean**.
laige *4f* weakness.
láimhseáil *v* handle, *vn* **~**.
lainseáil to launch,
fut. aut. **lainseálfar**. See **seol**.
láithreach *adj* present, current,
right away;
See **bonn**, **láthair**, **staid**.
lámh *2f* hand,
inflected dat. sg. **láimh**.
See **cuidiú**.
lámhacán *vn* **ag l**. crawling.
lán *adj* full,
scoil lán-Ghaeilge
an Irish-medium school,
as a noun: **lán doirn** a fistful =
a full of a fist, see **dorn**.
lánúin *2f* couple.
lár *1m* middle,
d'fhágadh ar lár
used to omit, leave out.
See **ceartlár**, **croílár**.
lárnach *adj* central.
las *v* light, *vn* **lasadh**,
past aut. **lasadh**.
lasmuigh *adv* outside =
taobh amuigh *U*.
lasta *4m* cargo = **lód (loinge)**.
láthair, i l. present, in attendance.
sa am i l. at the p. time =
i l. na huaire = **ar an bhomaite**.
leaba *irr.f* bed, *pl* **leapacha**,
gs. **seomra leapa** bedroom
= **seomra codlata**.
leabhlach *adj* libellous.
léacht *3f* lecture.
leadóg *2f* tennis.
leag *v* knock/set down,
leagtha amach set out.
níor leagadh lámh ar
was not touched.
leag siad amach lá
they set out, arranged a day =
shocraigh siad (ar) lá.
leagan *1m* version.
lean *v* follow *vn* **~stan** *U* =
~úint *Std*;
pres. rel. **a leanas** which follow(s).
leanstan ar aghaidh
to continue with,
leanfaidh will follow =
tiocfaidh i ndiaidh.
lean ... ar continued.
leanadh ar aghaidh leis an
challán the noise continued,
leanfaidh an aimsir mhaith ar
aghaidh
the good weather will continue =
mairfidh an aimsir mhaith.
leanbh *1m* child = **páiste**, *pl* **leanaí**,
gs **geata linbh** a child gate.
léann *1m* learning, education =
oideachas = **foghlaim**.
leapa see **leaba**.
Learpholl *pn* Liverpool (England).
cé Learphoill Liverpool quay.
lear *1m*, **thar l.** overseas =
thar sáile, = **ar an choigríoch**.
leas *3m* benefit,
comhairle mo leasa
advice for my own good.
leataobh *1m,* **i l**. aside, see **méar** <
leath + **taobh**.
leath *v* spread, broaden.
leath *2f* half, see **leith**, **bealach**.
leathanach *1m* page.
leathbhliain *3f* half of a year,
see **seal**; < **leath** + **bliain**.
leathchéad fifty = **caoga**.

From **leath** + **céad**, also **leithchéad**.
leathchuid *3f* half < **leath** + **cuid**.
leathchuma *4f* shoddy appearance, < **leath** + **cuma**.
leathlá *irr.m* a half day < **leath** + **lá**.
leathuair half an hour < **leath** + **uair**.
leibhéal *1m* level, **tríú l**. third l.
leictreachas *1m* electricity, see **sreangán**.
leid *2f* clue, hint.
léigh *v* read, *vn* **léamh**, *imperf.* **léadh** used to read.
leigheas *1m* cure, remedy, **céim sa L.** a degree in medicine. See **luibh**.
léim *v* jump.
léine *4f* shirt.
léir *adj* **ba l.** it was clear, evident. **go l.** all = **uilig**.
léirigh *v* indicate, *vn* **léiriú**, *pres.* **léiríonn** indicates, *condit.* **léireodh** would indicate
leisc *2f* = **leasc** *Std*, **ba l. léi** she was reluctant = **bhí l. uirthi**.
leisciúil *adj* lazy = **falsa** *U*.
leith *in phr.* **ó shin i l**. since then < **leath**.
ar l. special, particular = **speisialta**.
leitheadach *adj* widespread = **forleathan**.
leithchéad fifty = **caoga**. See **leathchéad**.
leithéid *2f* likes of, **a l. de** such a.
léitheoir *3m* reader.
léitheoireacht *3f* reading, **ábhar ~a** reading material.
lena with his/her/their.
leor *adj* **deacrachtaí go l.** enough problems.
maith go l. alright.
Ba l. sin do Mhicheál. That was enough for M.
ba l. amach domh dhá bhliain d'obair mar fhreastalaí two years working as a waiter was more than enough for me.
is l. a bhfuil de scrios déanta acu they have wreaked enough destruction.
leoraí *4m* lorry.
lig *v* let, *vn* **ligint** *U* = **ligean** *Std.*
ní ligfí domhsa I would not be allowed
má ligtear dúinn if we are allowed
ligeadh dó titim it (*m*) was allowed to fall
See **scíste**.
líne *4f* line, **l. daoine** a queue = **scuaine**.
linn = with us < **le**.
linn, le l. (+ *gen.*) during = **i rith** (+ *gen.*), see **stoirm**.
le linn domh (a) bheith while I was.
idir an dá l. in the meantime.
líon *v* fill, *vn* **~adh**, *condit.* **líonfadh** would fill.
líon *1m* **l. lucht an phinsin** the number of pensioners.
líon *1m* linen, **léine lín** a linen shirt.
líonta *adj* **l. lán** filled to the brim.
liosta *4m* list. See **feitheamh**.
litir *5f* letter, *pl* **litreacha**.
litríocht *3f* literature, **rang ~a** a l. class.
locht *3m* fault.
lofa *adj* rotten.
loinnir *2f* sparkle.
loisc *v* burn, *vn* **loscadh**,
Prov. **Ó l. muid an choinneal loiscfimid an t-orlach.** We may as well go the whole hog. (*Lit.* 'As we have burned the candle we'll burn the stub/inch'.)
Prov. **Níor l. seanchat é féin riamh.** An old cat never scorched itself.
lóistéir *3m* lodger.
lóistín *4m* lodgings.
lom *adj* bare, **l. láithreach** right away = **ar an toirt, láithreach bonn.**

lón *1m* lunch, **am lóin** lunchtime.
long *2f* ship = **soitheach** vessel = **árthach**, *gs* **loinge**, see **broinn**.
lonnaithe *adj* based, located.
lorg *1m* trace, in *cpd prp (+ gen)* **ar l. oibre/poist** looking for work/a job.
Londain *5f pn* London (England).
lua *vn* to mention, see **luaigh**.
luach *3m* price, value = **praghas**; **l. saothair** reward.
luachmhar *adj* valuable, important.
luaigh (**le**) *v* mention (to), *past aut.* **luadh** was mentioned
luas *1m* speed, **ar l. réasúnta réidh** at a fairly gentle speed.
luath *adj* early = **moch**, **níos luaithe** earlier, **níor luaithe na focail sin amach as a béal** no sooner had she uttered those words.
lúcháir *2f* joy = **áthas** = **gliondar**.
lucht *3m* people (used with a qualifier): **l. na bialainne** the café staff, **l. tacaíochta** supporters, **l. an phinsin** pensioners, **l. éisteachta** listeners. See **aitheantas**, **riarachán**.
luibh *2f* herb, *Prov.* **Níl l. na leigheas in aghaidh an bháis**. There is no (herb nor) cure against death, i.e. death comes to us all.
luigh *v* lie (down), *vn* **luí**. **luí isteach leis an staidéar** to apply myself to my studies.
Lúnasa *4m* August.

má if (+ *past*, *pres*, *imperf.*)
más if *with pres. of cop.* **má** + **is**.
más inniu an Luan if today is Monday.
mac *1m* son, **mac léinn** student = **scoláire**, *pl.* **mic léinn**.
machnamh *1m* **nuair a bhí a m. déanta aici** when she had reflected, **ag m. ar** reflecting upon.
madadh *1m* dog, *U* = **madra** *Std.*
máguaird *adv* **an ceantar m.** the surrounding district, see **timpeall**.
maidin *2f* morning, **ar m.** this morning, in the morning.
maidir le *cpd prp* in relation to, as regards = **i dtaca le**.
maígh *v* state, **mhaíodh sé** he used to maintain = **deireadh sé**.
mair last, *vn* **~stean** *U* = **~eachtáil** *Std*, *pres.* **maireann**. See **lean**.
maireachtáil *vn* & *3f* to live, last, See **caighdeán**, **mair**.
mairnéalach *1m* mariner, sailor.
mairstean *vn* to last, see **mair**.
maise *4f* beauty, **bliain úr faoi mh**. a prosperous/flourishing new year. **ba chiallmhar an mh. dó/di** it was sensible of him/her.
maith *adj* good, **níos fearr** better, **is f./ab fh**. best (*pres/fut.* and *past/condit.*), **is f. le** prefers, **maith le** likes, see **áil**; see **dea-**.
maith (do) *v* forgive, *fut. aut.* **maithfear dúinn** we will be forgiven.
maithe *in phr.* **ar mh. le** for the sake of, in the interest of.
mála *4m* bag, **m. láimhe** handbag, **m. codlata** a sleeping bag.
malairt *2f* opposite, **a mh. ar fad** the complete opposite, see **amhlaidh**.
malartú *2m* exchange, **m**. **scoróige** hip replacement.
mall *adj* late, see **fadálach** = slow; **is moille** latest, see **déanaí**.
mallaibh *in phr* **ar na m.** lately = **le déanaí = le deireanas.**
maoiniú *2m* funding, see **cúrsa**.
mar as, like, **mar sin** like that. **mar aon le** as well as, along with

mar a gcaithfidh sé where he will spend.

márach *adv* **maidin (lá) arna mh.** the following morning = **an mhaidin dár gcionn.**

marbh *adj* dead, **m. tuirseach** dead beat, see **buailte amach**.

marbh *v* (*U*) = **maraigh** *Std*, *pres. aut.* **marbhtar barraíocht daoine** too many people are killed = **maraítear** *Std*.

maraigh *v* kill, *vn* **bhí an phian do mo mharú** the pain was killing me.

Márta *4m* March.

más if, see **má**.

mata *4m* mat.

máthair *5f* mother, **ról na máthar** the role of the mother, **m. mhór** grandmother *U* = **seanmháthair** = **máthair chríonna**.

méad see **cá mh**.

méadú *2m* increase.

meala see **mil**.

mealladh *vn* to entice.

meallta adj disappointed.

meán *1m* middle, **ar an mh.** on average. **na meáin chumarsáide** the media. **mar mh. ealaíne** as an art form. **m. oíche** midnight. **m. proifisiúnta** a professional means.

méanar *in phr* **nár mh. duitse?** wasn't it fortunate for you? = **nach raibh an t-ádh ortsa?** = **nach ortsa a bhí an t-ádh?**

meánscoil *2f* secondary school.

méar *2f* finger, **chuir sé an aiste ar an mhéar fhada** he put the essay off = **d'fhág sé an aiste ar leataobh** aside.

meas *3m* respect = **gradam**; **is mise le m**. yours sincerely.

meas *v* reckon *vn* ~, *past aut.* **measadh** it was reckoned, assumed, *2 sg condit.* **cad chuige a measfá?** why would you reckon? **an moladh a mheas**. to consider the proposal.

measa see **olc**.

measartha *adj* reasonable, 'middling' **m. compordach** fairly comfortable = **réasúnta c**. = **sách c**.

measc *cpd prp* **i m**. (+ *gen*.) among.

meascadh *vn* to mix.

méid *4m* amount, **an m. a bhíodh inár gcorp** for all we were (= used to be) worth = **comh gasta agus ab fhéidir linn; ón m. a bhí le rá aige** from what he had to say.

mí *irr.f* month, *gs*. **míosa** *pl* **míonna**. **Mí Mheán Fómhair** September. See **mil**.

mí(-) *prefix*, see **míbhuntáiste**, **mí-eagraithe**.

mian *2f* wish, **ba mh. le** would wish.

míbhuntáiste *4m* disadvantage.

míchumasach *adj* incapable, useless.

mí-eagraithe *adj* disorganised.

mil *3f* honey, **brioscaí meala** honey biscuits, **mí na meala** honeymoon.

míle *4m* thousand (+ *sing*.), mile.

milliún *1m* million (+ *sing*.).

millteanach dreadful = **uafásach**.

milseán *1m* sweet, *pl* **-eáin**.

milseog *2f* dessert = **iarbhéile**.

mín *adj* smooth.

minic *adj* often, **a mhinice** how often. See **annamh**, **cá mhinice**.

mínigh (**do**) *v* explain (to), *vn* **míniú**, *fut*. **míneoidh** will explain.

mí-iompar *1m* misbehaviour < **iompar**.

míol *1m* **~ta mara** whales.

mion *adj*. **go m. is go minic** time out of number.

mionfhadhb *2f* small problem <

mion+ **fadhb**.

miongháire *4m* smile < **mion** + **gáire**, see **aoibh**.

mionrud *3m* tiny thing < **mion** + **rud**.

mionn *3m* **ag stróiceadh na m. mór** swearing.

mír *2f* item, segment (of orange). **míreanna mearaí** jigsaw puzzle.

mire *4f* **ar m. (le)** mad, furious (at), see **daoraidh**.

míshásta *adj* dissatisfied.

misneach *1m* courage = **uchtach**.

miste *with cop*. **níor mh. le** would not mind.

mithid *in phr* **is m. domh** it is high time I = **tá sé thar am agam**.

mó see **mór**.

moch *adj* early, **níos moiche** earlier, see **luath**.

modh 3m method,
m. taistil method of transport,
~anna siopadóireachta shopping methods.

moill *2f* delay,
gan mh. without d.,
m. a chur ar to delay.

moille, is m. latest < **mall**, see also **déanaí**.

mol *v* praise, *vn* **~adh**. See **spéir**.
mholfainn go láidir do I would strongly advise/suggest to.
mhol mo chara domh my friend advised me = **chomhairligh mo chara dom** = **thug mo chara comhairle domh** = **chuir mo chara comhairle orm**.
pres aut. **moltar duit** you are advised.

moladh *vn* to praise,
moladh do to suggest to,
3m **Tá m. agam.** I have a suggestion,
pl **moltaí** proposals, suggestions.

molta *adj*, see **dán**.

monarcha *5f* factory, *gs* **~n**.

mór *adj* big, great;
níor shíl mé a mhór de I did not think too much of,
ní mór duit you must = **caithfidh tú** = **ní foláir duit**.
ní mó ná go dtiocfaidh siad ar ais they are hardly likely to come back = **is ar éigean a thiocfaidh siad ar ais** = **ní docha go dtiocfaidh**.

mórán *1m* a lot = **cuid mhór**.

móréacht 'great heroics' < **mór** + **éacht** = **mórghaisce**.

mórealaíontóir(í) *3m* great artist(s) < **mór** + **ealaíontóir**.

mórmhór *in phr* **go m.** especially = **go mór mór** = **go speisialta** = **go háirithe**.

mór-roinn *2f* continent, **M. na hEorpa** The Continent of/mainland Europe.

mótarbhealach *1m* motorway.

mothaigh *v* feel = **braith** = **airigh**, *vn* **mothú**. Also **mhothaigh** heard = **chuala** = **d'airigh**

múch *v* extinguish, *vn* **na soilse a mhúchadh** to put out the lights = **na soilse a chur as/de**.

muin *2f* back (of animal),
ar mh. na muice on the pig's back = **ina shuí go te** well off.

múineadh *2m* manners.

muinín *2f* confidence = **uchtach**.

muiníneach *adj* confident.

muinteartha (do) *adj* related (to), **duine muinteartha** relation = **gaol**.

múinteoir *3m* **scoile** (school)teacher. See **sármhúinteoir**.

múinteoireacht *3f* teaching.

muir *3f* sea = **farraige**. See **míol**.

muirnín *4m* darling = **stóirín**, **taisce**, **rún**.

mullach *1m* top, summit = **barr**.

múr *1m* pile, heap.
na ~tha airgid plenty of money = **fortún** = **saibhreas mór**.

mura *conj*. if not, unless (often with *pres. subj./fut.*)

murab é only that, unless
múscail *v.* awake(n), *vn.* **~t**, **múscailte** awake(ned), see **dúiseacht**.

ná *neg. preverbal part. + imperative.*
nádúr *1m* nature, **ó nádúr** by nature, innately = **ó dhúchas**.
naipcín *4m* napkin.
naíscoil *2f* nursery school.
náisiúnta *adj* national.
naonúr déag nineteen people = **naoi gcloigne déag**.
neach *4m* being, **n. beo** a living soul = **duine ná deoraí**.
néal *1m* nap, **n. codlata** a wink of sleep.
neamhbhuartha *adj* unperturbed, carefree.
neamhspleách *adj* independent, **go n**. independently = **as do stuaim féin** = **ar do chonlán féin**.
neamhspleáchas *1m* independence = **saoirse**.
neart *1m* strength, **n. ama** plenty of time = **tréan ama** = **a lán ama** = **cúid mhor ama**. **Níl n. air.** It cannot be helped. *Prov.* **Ní n. go cur le chéile.** Unity is strength.
néata *adj* neat = **slachtmhar** = **glan**.
neirbhíseach *adj* nervous.
ní *neg. preverbal part. for verbs and part of copula.*
ní *4m* thing = **rud**.
Nigéir *2f* **An N**. Nigeria.
níochán *1m* washing.
nocht *v* lay bare, show *vn* **barúil a nochtadh** to express an opinion, **nocht sé spéis/suim (i**) he showed an interest (in), **nocht S. ag an doras** S. appeared at the door.
nod *1m* abbreviation, hint; *Prov.* **Is leor n. don eolach**. A hint to the wise is sufficient = 'say no more', 'enough said'.
Nollaig *5f* Christmas, **N. Shona** (**duit/daoibh**) Happy Christmas (to you).
nós *1m* custom. **bíonn sé de n. aige** he usually. **drochnósanna** bad habits < **droch** + **nós**.
nua *adj* new = **úr**.
nua-aimseartha *adj* modern = **comhaimseartha**.
nuacht *3f* news.
nuachtán *1m* = newspaper = **páipéar nuachta** = **páipéar**.
Nua-Eabhrac *pn* New York.
nuaphósta *adj* newly married.
nua-theicneolaíocht *3f* **an n**. modern technology.

ó *prp* from (**uaim**, **uait**, **uaidh**, **uaithi**, **uainn**, **uaibh**, **uathu**), see **cóiriú**.
ó shin ago, **trí bliana ó sh.** three years ago; **Ní raibh sé anseo ó sh.** He has not been here since.
ó tharla (go/gur) as it happens (that), since.
obair *2f* work, **i mbun oibre** at work.
obráid *2f* operation, *pl* **~í**.
ócáid *2f* occasion.
ochtar *1m* eight people = **ocht gcloigne**.
ochtó eighty = **ceithre scór** = **ceithre fichid**.
ocras *1m* hunger.
ocrach *adj* hungry = **stiúgtha**.
ofráil *v* offer = **tairg**.
oibleagáid *2f* obligation = **dualgas**.
oibrí *4m* worker, *pl* **oibrithe**.
oibrigh *v* work, **o. amach** work out, *imperf.* **d'oibríodh sé** he used to work, *fut.* **ní oibreoidh** will not work.

oide *4m* teacher, tutor = **múinteoir**, see **príomhoide**.
oideachas *1m* education = **léann,** *gs* **aire oideachais** minister for education.
oifig *2f* office.
oifigeach *1m* official, officer.
oifigiúil *adj* official = **foirmiúil**.
óige *4f* youth, **ina hóigese** in her y. < **óige** + *emphatic f suffix* **se**.
óigfhear *1m* young man = **fear óg, stócach**.
oiliúint *3f* training, **coláiste oiliúna** a training college.
óir *conj* for, because.
óir see **ór**.
oiread *4f* **an o. sin tábhachta** so much/such importance. **a o. agus bomaite** as much as a minute. See **féidir**.
oiriúint *3f* **cur in o**. to adapt.
ól *v* drink, *vn* **ól**.
ola *4f* oil.
ólachán *1m* drink.
olc *irr.adj* bad, *superlative* **Cé acu a ba mheasa le S?** Which did S. consider the worst?
olcas *1m* **dá o. é** however bad.
oll(-) great, super
ollmhargadh *1m* supermarket.
ollmhór *adj* **lúcháir o.** great joy = **l. as cuimse** = **l. as miosúr**.
ollscoil *2f* university.
ómós *1m* homage, **in ó. do** in h. to.
óna from his/her/their.
onóir *3f* honour.
ór *1m* gold, *gs* **scuab óir** a golden brush.
óráid *2f* speech = **caint**.
ord *1m* order, organisation, see **eagar**.
ordaigh *v* order, *vn* **ordú**, *imperf.* **d'ordaíodh** used to order
ordaithe *vadj* ordered.
orlach *1m* inch, 'stub', see **loisc**.
ós *in phr* **Ós mar sin a bhí ...** As that was the case ... **Ós duine de thógáil an bhaile mhóir mé**. Because I was brought up in a large town, city. (**ós** < **ó** + **is** *pres. cop.*).
oscail *v* open, *vn* **~t**. = **foscail** *U. fut.* **osclóidh** will open.
ocailte *adj* open, **go h.** openly.
ospidéal *1m* hopsital = **otharlann**.
óstach *1m* host(ess), **aer~** air-host(ess).
Ostair *2f* **An O**. Austria.
óstán *1m* hotel *U* = **óstlann** *2f.* See **réalta**.
oth *in phr*. **is o. liom a rá** I regret to say. See **bocht**.
othar *1m* patient, *pl* **othair**, see **breoite**.
otharlann *2f* hospital = **ospidéal**, **O. na bPáistí** the Children's H. **o. páirce** a field h.

pá *4f U* (*4m Std*) pay, wages = **tuarastal**.
pacáil *v* pack, *vn* ~.
pacáiste *4m* package.
paicéad *1m* packet, *pl* **paicéid**.
pailéad *1m* palette.
páirc *2f* field. **p. na himeartha** the (playing) pitch = **p. na peile** the football pitch; **P. an Chrócaigh** Croke Park (stadium for Gaelic sports in Dublin).
páirceáil *3m* parking, **a háit páirceála** her parking spot.
páirt *2f* part = **cuid**.
páirteach *adj* **gach duine a bhí p. sa tarrtháil** all who partook in the rescue.
paisinéir *3m* passenger, *pl* **~í**.
Páras *4m pn* Paris.
pas *1m* passport, see **bordáil**.
pasáiste *4m* passage.
peann *1m* pen.
peannaireacht *3f* handwriting, caligraphy = **scríbhneoireacht**.

pearsanra *4m* personnel,
oifig an ph. the p. office.
pearsanta *adj* personal,
adv **go p.** personally.
péas *4m* police, *pl* **na** ~, see **garda**.
peata *4m* pet, *pl* **~í**.
peil *2f* football,
pheil Ghaelach Gaelic football.
peileadóir *3m* footballer.
péinteáil *v* paint, *vn* ~.
péintéireacht *3f* painting,
ceardlanna ~a painting workshops.
péire *4m* pair.
peitreal *1m* petrol = **artola** *4f.*
piachán *1m* hoarseness,
bhí p. ionam I was hoarse.
pian *2f* pain.
picnic *2f* picnic = **béile beag amuigh faoin aer**.
pill *v* return, *vn* **~eadh** *U* = **fill(eadh)** *Std*; **phill siad ar ais** = they returned = **tháinig siad ar ais**.
pillte *adj* returned *U* = **fillte** *Std*,
an gnáth-thuras pillte/fillte
the usual return journey.
pingin *2f* penny,
pingin rua a single penny,
p. mhaith airgid
a substantial sum of money.
pinsean *1m* pension, see **lucht**.
pinsinéir *3m* pensioner, *pl* **~í**.
piolla *4m* pill, *pl.* **~í**.
píosa *4m* piece = **giota**, also **mír**
a segment (of orange).
plaisteach *adj* plastic.
pláta *4m* plate.
plean *4m* plan.
pleanáil *3f* planning.
pleanáilte *adj* planned.
pléigh *v* discuss, *vn* **plé**,
condit. aut. **dá bpléifí go ciallmhar í** were it (*f*) discussed sensibly.
ag plé le involved,
concerned/dealing with.
pluc *2f* cheek.
pobal *1m* community,
gs **grúpaí pobail** community groups.

póca *4m* pocket,
guthán p. mobile phone.
pointe *4m* point, *pl* **-tí**,
see **buaicphointe**.
polaitíocht *3f* politics.
poll *v* pierce, *vn* & *past aut.* **~adh**.
Port Rois *pn* Portrush (Co. Antrim).
portráid *2f* portrait, *pl* **~í**.
pós *v* marry, *vn* **~adh**.
fut. **pósfaidh** will marry,
condit.aut. **go bpósfaí i gContae Dhún na nGall iad** that they might be married in County Donegal.
post *1m* job, post; mail,
fuair sé p. he got a job =
ceapadh é he was appointed.
foirmeacha a chur sa ph.
to post forms,
gan ph. unemployed =
dífhostaithe.
praghas *1m* price = **luach**.
praiticiúil *adj* practical.
práinneach *adj* urgent.
preab *v* bounce, *vn* **~adh**.
preabadach *vn* **ag preabadaigh**
pounding (of heart), *U*.
preas *4m* press,
gs **saoirse an ph**.
the freedom of the press.
preasagallamh *1m*
press conference.
príobháideach *adj* private,
saol níos príobháidí
a more private life.
príomh(-) main, principal.
príomhchócaire *4m* head chef
< **príomh** + **cócaire**.
príomhchonclúid(í) *2f*
principal conclusion(s)
< **príomh** + **conclúid**.
príomhdhoras *1m* main door
< **príomh** + **doras**.
príomheachtra(í) *4f* main event(s)
< **príomh** + **eachtra(í)** =
buaicphointí.
príomhghnó *4m* main business
< **príomh** + **gnó**.

príomh-mhúinteoir *3m* principal (teacher) < **príomh** + **múinteoir**.
príomhoide *4m* head teacher, principal < **príomh** + **oide**.
príomhsheomra *4m* main room.
proifisiúnta *adj* professional = **gairmiúil**.
proinn *2f* meal = **béile**.
proinnteach *2m* restaurant = **bialann**.
punt *1m* pound.

rá to say *vn* of **abair**.
rabhthas *dep. past aut. of* **bí**.
Ní r. cinnte cé a bhí taobh thiar den tslad seo. It was not certain who was behind this raid.
Cad é an dáta ar a r. ag súil le foilsiú an phlean straitéise? At what date was the publication of the strategic plan expected?
rac-cheol *1m* rock music.
rachaidís they would go < **téigh**.
radar *1m* radar.
radharc *1m* sight, view = **amharc**.
ráite *adj*. said.
ráiteas *1m* statement.
rámhaíocht *3f* rowing.
rann *vn* to share *U* = **roinnt** *Std*.
rásaíocht *3f* racing.
ráta *4m* rate.
ré *4f* period, era; **roimh ré** beforehand.
reáchtáil *v* run, organise = **eagraigh**, *vn* ~, *pres*. **reáchtálann**, *fut. aut*. **reáchtálfar**.
réadúil *adj* **ar shlí níos réadúla** in a more realistic manner.
réalta *4f* star, **~í scannán** film stars, **óstán thrí r.** a three-star hotel *U* = **óstlann trí r.** *Std*.
réasúnta *adj* reasonable = **measartha** = **cuíosach**.
reatha see **rith**.
reicneáil *3f* **sa r.** into the reckoning = **san áireamh**.
réidh ready, gentle
r. le finished with, (see **luas**). See **ullmhú**.
réir, de r. a chéile gradually = **diaidh ar ndiaidh** = **le himeacht ama**;
de r. according to (+ *gen*.), see **cumas**.
Prov. **Is de r. a chéile a thógtar na caisleáin**. Rome was not built in a day. (*Lit*. It is gradually castles are built.)
réiteach *vn* (of **réitigh**) to settle = **socrú**;
ag fáil réitithe léi getting rid of it (*f*).
réiteoir *3m* referee.
réitigh *v* settle, *condit. aut*. **réiteofaí an deacracht sin** that difficulty would be resolved = **sharófaí an fhadhb sin**.
rí *4m* king,
A Rí na glóire Oh glorious God.
riachtanas *1m* necessity, **r. mór** a pressing need = **géarghá**.
riail *5f* rule, *pl* **rialacha**.
rialtas *1m* government.
riamh *adv* (n)ever (usually *past*; *i*n **am ar bith** *pres*., **choíche/go deo** (*fut*.).
riarachán *1m* administration, **lucht an riaracháin** the administration (people).
righin *adj* stiff, strict.
Rinn na Feirste *pn* Rannafast (Co. Donegal).
ríomhaire *4m* computer.
ríomhaireacht *3f* computing, **cluichí ~a** computer games.
ríomhphost *1m* e-mail.
rith *v* run, *vn* ~,
cead reatha permission to run,
rí an reatha the king of running,
i r. during (+ *gen*.) = **le linn** (+ *gen*.) = **i gcaitheamh** (+ *gen*.)
ar rith sé le S.? Did it occur to S.?
See **teitheadh**.

ró(-) *prefix* too,
róchóngarach do too close to.
rófhóirsteanach too suitable.
róghearr too short.
rógaire *4m* rogue = **gadaí** = **bithiúnach**;
pl **baicle rógairí** band of rogues.
rogha *4f* choice, **a r. ceisteanna** whatever questions they wished.
roimh *prep.* before (**romham**, **romhat**, **roimhe**, **roimpi**, **romhainn**, **romhaibh**, **rompu**).
roimh ré beforehand. See **amach**.
roinnt *2f* **r. eolais** some information.
roinnt *vn* to share = **rann** *U*.
ról *1m* role.
romhainn see **amach**, **roimh**.
rómhall too late, see **ró(-)**.
rótheann too tight, see **ró(-)**.
rua red-haired, see **pingin**.
ruagaire *4m* **reatha** tearaway.
ruaig *v* chase, *fut. aut.*
~fear amach as an ghrúpa é he will be run out of the group = **caithfear amach é** he will be thrown out.
rud *3m* thing = **ní**,
rud ar bith something, nothing.
rud beag a little bit = **beagáinín**.
rugadh was born *past. aut. of* **beir**;
r. greim air he was caught.
rúid *2f* dash, lunge = **sciuird** = **rúchladh**.
rún *1m* secret,
bhí r. acu they intended = **bhí sé ar intinn acu**.
rúnaí *4m* secretary.

sábháil *v* save, *vn* ~,
past aut. **sábháladh iad** they were saved/rescued = **tugadh tarrtháil orthu**.
A Dhia ár s. God save us.
sábháilte *adj* safe.
sacar *1m* soccer,
cluiche sacair a s. match.
saghas *1m* type, kind = **cineál**, **sórt**.
sáile see **lear.**
sáimhín *4m* **ar a sh**. **só** completley relaxed = **ar a sh. suilt**. See **sócúl**.
sáith *2f* fill = **dóthain**;
a seacht s. more than her fill (*lit*. 'her seven fills').
mo sh. **is barraíocht** more than my fill (*lit*. 'my fill and too much').
samhail *v* seem,
past aut. **Samhlaíodh domh** It seemed to me, I imagined.
samhradh *1m* summer.
sampla *4m* sample, example,
mar sh. for example,
See **dea-**.
saoire *4f* **ag imeacht ar s**. going off on holidays,
laethanta s. holidays.
saoirse *4f* freedom, see **preas**.
saoithiúil *adj* odd, peculiar = **aisteach** = **corr** = **aduain**,
rudaí saoithiúla strange things.
saol *1m* life,
s. an lae inniu contemporary life,
a s. oibre her working life,
i mo sh. in my life = **le mo sholas**, **riamh**;
ar na saolta seo = these days.
saor *adj* cheap, free,
s. ón obair off work.
See **aisce**.
saorchumadóireacht *3f* free expression, composition.
saothar *1m* work. See **luach**.
saothrú *vn* **mo bheatha a sh.** to earn my living.
sár(-) *prefix*, see **sármhaith**, **sármhúinteoir**.
sáraigh overcome, *vn* **sárú**,
past aut. **sáraíodh an fhadhb bheag sin** that small problem was overcome,
imperf. **is beag maidin a sháraíodh uirthi** there were few mornings she did not succeed (in),
fut. aut. **sárófar** will be overcome.

See **buail**.
sármhaith *adj* extremely good = **tréitheach**, **an-mhaith (ar fad)**.
sármhúinteoir *3m* an excellent teacher = **múinteoir iontach** < *prefix* **sár** excellent + **múinteoir**.
Sasain *3f pn* England *U* = **Sasana** *4m Std*.
sásamh *1m* satisfaction, **s. mór intinne** great peace of mind.
sásta *adj* satisfied, prepared.
scaifte *4m* crowd *U* = **scata**, **slua**.
scairt *2f* a call, **s. ghutháin** = **glaoch gutháin** a telephone call. **chuir sí s. air** she called him.
scairteach *2f* shouting, *vn* **ag scairtigh (ar)** calling *U* = **ag glaoch (ar)**. *condit.* **ní scairtfinn** I would not call.
scála *4m* scale, **s. ama** timescale.
scannán *1m* film.
scannánú *vn* to film.
scanraigh *v* frighten, *vn* **scanrú**, *past aut.* **scanraíodh iad** they were/had been frightened, See **biongadh**, **geit**.
scanrúil *adj* frightening, **an eachtra is scanrúla** the most frightering episode.
scaptha *adj* scattered = **scaipthe**.
scar *v* separate, *vn* **~adh**, *condit.* **scarfadh le** would part with, See **tabhairt ó**.
scáth *3m* terror, fear = **eagla**; shadow, shelter **s. fearthainne** umbrella.
scáthán *1m* mirror, *prov.* **Is maith an s. súil carad**. The eye of a friend is a good looking-glass.
scéal *1m* story, matter. See **tosach**.
scéala *4m* news, see **dea-**.
scéalaí *4m* storyteller = **seanchaí** *U*.
scéim *2f* scheme, *pl* **~eanna**.
scil *2f* skill, *pl* **~eanna**.
sciob *v* snatch, *vn* & *past aut.* **~adh**.
scíste *4f* rest *U* = **scíth** *Std*. **ag ligint a s.** resting himself.
sciuird *2f* dash, bolt = **rúid**.
sclábhaíocht *3f* slavery.
scoith *2f* pick/choice of *U* = **scoth** *Std*.
scoláire *4m* scholar, **s. ollscoile** university scholar/student = **mac léinn**.
scor *1m, in phr* **mar fhocal scoir** finally, in conclusion, **ar s. ar bith** anyhow/way = **i gcás ar bith**.
scór *1m* score, twenty, **ceithre scór** eighty = **ochtó** = **ceithre fichid**.
scoróg *2f* hip *U* = **cromán**. See **malartú**.
scríbe see **scríob**.
scríbhneoir *3m* writer.
scríob *2f*, **ceann scríbe** goal, objective, destination.
scríobh *v* write, *vn* ~, *imperf.* **scríobhadh** used to write.
scríofa *adj* written = **breactha**.
scrios *3m* destruction, ruin.
scrúdú *2m* examination, **rinneadh s. air** it (*m*) was examined.
scuab *2f* brush, see **ór**.
scuaine *4f* queue = **líne**.
seaca *gen of* **sioc**.
seachantar is avoided < *pres. aut. of* **seachain** (= **seachnaítear** *Std*), see **fírinne**.
seachas *prp* besides, apart from = **diomaite de**, **taobh amuigh de**.
seach-chonair chroí heart by-pass.
seachtó seventy.
seaimpéin *4m* champagne.
seal *3m* while = **tamall**, **s. na leathbhliana** half of the year.
sealadach *adj* temporary.
sean old, *as prefix* **sean(-)** **seanbhád** old boat < **sean** + **bád**.

seanbhean *irr.f.* old woman < **sean** + **bean**.

seanchairde *5m* old friends < **sean** + **cairde** (*sg* **cara**).

seanchat *1m* an old cat < **sean** + **cat**.

seancharr *1m* old car < **sean** + **carr**.

seanchlog *1m* old clock < **sean** + **clog**.

seanduine *4m* old man = **seanfhear** < **sean** + **duine**.

na seanfhóide *1m* home (sweet home), *lit*. 'the old sods' < **sean** + **fóide** (*sg*. **fód**).

seanlánúin *2f* old couple < **sean** + **lánúin**.

seanmhairnéalach *1m* old sailor < **sean** + **mairnéalach**.

seanmháthair *5f* grandmother = **máthair mhór** *U* < **sean** + **máthair**.

seanscéal *1m* old story < **sean** + **scéal**.

seans *4m* chance = **faill**, **áiméar**, **de sh. ar bith** by any chance.

searbh *adj* bitter, see **fírinne**.

séasúr *1m* season, **s. peile** football season.

seicleabhar *1m* cheque book < **seic** + **leabhar**.

séideadh *vn* to blow, see **adharc**.

seilbh *2f* possession.

seilf *2f* shelf, *pl* **~eanna**.

séimh *adj* gentle, **go s**. gently = **go síodúil**.

seinm *vn* playing (music).

seinn *v* play (music), *imperf.* **sheinneadh**. used to play. Note **imirt** 'to play (game)', **súgradh** 'to play, gambol'.

seirbhís *2f* service, *pl* **~í**.

seo *pron*. this, **an fear seo** this man.

seodóir *3m* jeweller, *gs* **-óra**.

seol *v* send, sail *vn* **~adh** = **cur chuig**, *past aut*. **seoladh leabhar** a book was launched = **lainseáladh leabhar**.

seoltóireacht *3f* sailing, *gs* **bád ~a** a sailing boat.

seomra *4m* room.

siar west, back, **Léigh sí s. orthu** She read back over them. See **gearr**.

síl *v* think, *vn* **~stean** *U*, **~eadh** *Std, condit. 2 sg*. **shílfeá** you would think.

simplí *adj* simple, easy = **furasta**.

sin that, **ó shin** ago, since, see **ó shin**.

sín *v* stretch, *vn* **~eadh**.

síneadh *2m* extension, *or* **s. ama**.

sioc *3m* frost **de bharr an tseaca** because of the frost.

sioc *v* freeze, *vn* ~, *fut. aut.* **Siocfar leis an fhuacht mé** I shall be perished with the cold.

siocair *in cpd prp* (+ *gen*.) **as s. na drochaimsire** on account of the bad weather = **mar gheall ar an drochaimsir**.

síocháin *3f* peace, **S. Ghlas** Greenpeace.

sioctha *adj* frozen = **caillte**, (of person) very cold = **conáilte**.

síoda *4m* silk.

síodúil *adj*, **go s**. courteously, 'silkenly', see **séimh**.

siopadóireacht *3f* shopping.

síor eternal, **de sh**. continuously, see **iarraidh**.

síoraíocht *3f* eternity.

síoraí *adj* eternal, **A Athair Sh**. God above, Perpetual Father.

siúil *v* walk, *vn* **siúl**, **ar siúl** going on = **ar bun**, **ar shiúl** away = **imithe**. **fiche bomaite de shiúl na gcos** a twenty-minute walk. **mo chuid siúil** my travels, **ag siúl leis an phost sin**

associated with that job.
siúl *1m* act of walking, see **foghlaim**.
siúlóid *2f* a walk.
siúlóir *3m* walker = **coisí**.
siúráilte *adj* sure = **cinnte** = **dearfa**.
slachtmhar *adj* tidy = **néata** = **deismir** = **glan** = **dóigh mhaith ar**.
slad *3m* raid.
sladóir *3m* raider = **gadaí**.
slaghdán *1m* a cold. See **droch(-)**.
sláinte *4f* health.
sláintiúil *adj* healthy = **folláin**.
slán *1m* goodbye,
d'fhág S. slán ag X.
S. (leaving) said goodbye to X.
slat *2f* yard (measurement, three feet).
sleamhain *adj* slippery.
slí *4f* path, way = **bealach**, **treo**, **dóigh**.
cad é an tslí bheatha atá ag X?
what does X do for a living?
slog *v* swallow, *vn* **~adh**.
sloinne *4m* surname.
slua *4m* host, crowd = **scaifte** *U*.
smaoineamh *vn* to think,
ag s. siar thinking back,
smaointe thoughts.
See **bhíothas**.
smidirín *4m* tiny piece, *pl* **~í** smithereens = **smionagar**.
smionagar *1m* tiny pieces = **smidiríní**.
snámh *v* & *3m* swim,
rí an tsnámha
the king of swimming.
sneachta *4m* snow.
ag cur s. snowing.
só *4m* comfort, see **sáimhín**.
socair *adj* calm, relaxed.
socraigh *v* settle,
vn **socrú** arrangment,
ag socrú settling = **ag réiteach**.
fut. **socróidh síos**
will settle down.
past **shocraigh siad**
see **cinn**, **leag amach**.
socraithe *adj* settled, arranged = **beartaithe**.
sócúl *1m* **ar do sh**. at your ease = **ar do shuaimhneas**.
soilsiú *vn* to shine = **taitneamh**.
sóisialta *adj* social.
soitheach *1m* vessel, **s. tarrthála** rescue vessel. See **bád**, **long**.
Prov. **Ní choinníonn an s. ach a lán**. A vessel only holds its fill.
solas *1m* light, *pl* **soilse**,
ag dul ó sh. getting dark = **ag éirí dorcha**;
s. an lae daylight,
le mo sh. in my life = **i mo shaol, riamh**.
soláthar *1m* provision.
son *in cpd prp* **ar s.** for (+ *gen.*), see **domhan**.
sona *adj* happy,
s. sásta happy and contented.
sonas *1m* happiness.
sonrú *2m* notice, remark;
níor chuir sé s. ar bith sna strainséirí sin he did not pay any heed to those strangers = **suim**, **spéis**.
sórt *1m* sort = **cineál**, **saghas**;
s. ar bith anything.
sos *3m* break.
Spáinn *2f*, **An S**. Spain.
spéir *2f* sky,
Molaim go s. iad.
I praise them highly.
spéis *2f* interest = **suim**.
speisialta *adj* special = **ar leith**.
spéisiúil *adj* interesting = **suimiúil**.
spíonadh *vn* to discuss = **plé**.
spionn *4m* mood = **fonn**.
spléachadh *1m* glance,
thug sí s. (ar) she glanced (at) = **d'amharc sí go gasta (ar)**.
spórt *1m* sport, fun = **greann**.
spreagúil *adj* inspirational.
spréigh *v* spread, *vn* **spréadh** *U* = **spré** *Std*,
pres. aut. **spréitear** is spread.
spréite *adj* spread.

sprioc *2f* target, goal;
s. ama deadline.
sreangán *1m* wire,
npl **na sreangáin leictreachais** the electric wires.
sroich *v* reach = **bain amach** *U*,
condit. **shroichfeadh** would reach.
Sruth na Maoile *pn*
The North Channel.
stad *4m* stop,
baineadh s. aisti
she was taken aback =
biongadh, **geit**.
Gan s. gan staonadh!
without cease (stop nor stay).
staid *2f* state,
s. láithreach the current state.
staidéar *1m* study.
ag déanamh staidéir (ar) studying.
staidiam *4m* stadium.
staighre *4m* stair, staircase.
stair *2f* history.
stáisiún *1m* station,
s. tarrthála rescue station.
Stáit Aontaithe Mheiriceá *pn*
The United States of America.
stán *1m* tin, **bocsa** *4m* **stáin**
a tin (can, container), see **clár**.
staonadh see **stad**.
stiúrtha *adj* **coiste s**.
steering committee.
stiúrthóir *3m* director, *pl* **~í**.
stócach *1m* youth = **óigfhear**.
stóirín *4m* darling = **grá geal, muirnín**, **taisce**.
stoirm *2f* storm = **gála**,
le linn na stoirme during the s.
stopadh (ag) *vn* to stay, lodge (with),
condit. **stopfainn**, **stopfá**
I/you would stay.
straitéis *2f* strategy.
streachailt *2f* struggle,
gan stró gan s.
without exertion or effort =
gan dúthracht gan díbhirce.
stró *4m* stress, exertion,
see **streachailt**.
stróiceadh *vn* to rip, tear,
see **mionn**.
strus *1m* stress = **brú**, **teannas**.
stuaim *2f* sobriety;
Ní as a s. féin a mhúscail sé.
He did not awaken of his own accord, see **neamhspleách**.
suaimhneach *adj* quiet.
suaimhneas *1m* relaxation,
ar a suaimhneas relaxed =
ar a sócúl = **gan brón gan buaireamh**.
suantraí *4f* soothing (sleep) music =
ceol suaimhneach.
subh *2f* jam.
substainteach *adj* substantive.
súgradh *vn* to play, see **seinm**.
suigh *v* sit, *vn* **suí**,
condit. **shuífeadh sí** she would sit.
imperf. **shuíodh** use to sit.
ipve **bí i do shuí** get up = **éirigh**.
See **te**.
súil *2f* eye, *gs* & *npl* **súile**, *gpl* **súl**,
see **aithne**.
súil *vn* **ag s. le** expecting, looking forward to = **ag dúil le** *U*, **ag dréim le**.
bítear ag s. one expects,
it is expected.
bhíothas ag s. it was hoped.
suim *2f* interest = **spéis**, **sonrú**;
níor sh. léi she had no interest in.
níor cuireadh s. ar bith sa dream
no attention was paid to the crowd.
s. airgid a sum of money.
súimín *4m* sip, **bhain sé s. as**
he took a sip of it.
suimiúil *adj* interesting = **spéisiúil**.
suíochán *1m* seat.
suíomh *1m* site, *pl* **suíomhacha tógála/campála** building/camp sites *U*.
suite *adj* situated.
súl *gpl* of **súil**, see **aithne**.
sula(r) *adv* before - contrast **roimh**
prp. + *noun*,
sular pósadh í
before she was married.
sult *1m* **bhain mé s. as**
I enjoyed it (*m*). See **sáimhín**.

tábhacht *3f* importance.
Tá t. mhór ag baint leis an léann. Education is extremely important.
tábhachtach *adj*. important, *cmp* **níos tábhachtaí** more important.
tabhaigh *v* earn, gain = **tuill**.
tabhair *v* give, *vn* **~t**, *past* **thug** gave *pres*. **bheir** gives *U* = **tugann** *Std*, *fut*. **bhéarfaidh** will give = **tabharfaidh** *Std* *fut. aut*. **bhéarfar** = **tabharfar** will be given. *condit*. **bhéarfadh** would give *U* = **thabharfadh** *Std*, *pres. subj*. **go dtuga** may .... give **tabhairt faoin chrosfhocal** to attempt the crossword. **X a thabhairt os comhair na cúirte** to bring X to justice, before the court. *imperf. aut*. **an dtugtaí cead do W?** did W used to be allowed? **ag tabhairt amach** giving off = **ag gearán** = **ag casaoid**. **tabhairt amach** to give out, issue, see **eisigh**. **tabhairt air níos mó oibre a dhéanamh** to make him do more work. **tabhairt faoin iris a bhí léi chun an bhaile** delve into the magazine she had brought home **tabhairt ó** to give away = **scaradh le**. **ní thabharfadh an fear sin isteach do thaibhsí** that man would not believe in ghosts = **ní chreidfeadh sé i dtaibhsí**. *Fut. aut*. **Tabharfar an mála sin chun na beairice go ndéanfar scrúdú air**. That bag will be brought to the barrack for examination.
tabhartas *4m* gift, talent = **bua**.
tábla *4m* table = **bord**, **táblaí na dtorthaí** the results' tables.
taca *4m* **i dt. leis sin de** as regards that (*m*).
tacaíocht *3f* support, see **lucht**.
tachrán *1m* toddler, young child = **páiste óg**, **leanbh**.
tacsaí *4m* taxi.
tagairt *3f* reference, **an ndearnadh t. don údar?** was the author mentioned? = **ar tráchtadh air?** = **ar luadh é?**
taibhse *4m* ghost, **scéalta fá thaibhsí** stories about ghosts.
taibhsíodh domh *in phr* it appeared to me = **samhlaíodh domh** = **chonacthas domh**.
taighde *4m* research.
táille *4f* fee = **costas**.
tairbhe *4f* benefit, *cpd prp* **de th**. because, **de th. gur bhain sé** because he won.
tairg *v* offer, *vn* **tairiscint**. *past aut*. **tairgeadh an folúntas domh** the vacancy was offered to me. *fut. aut*. **tairgfear**. See **ofráil**.
tairiscint an offer, see **tairg**.
tairseach 2f threshold, **thar an t**. across the door. See **teann**.
tais *adj* damp.
taisce *4f* treasure, **a th.** dear (**taiscidh** *U*), see **muirnín**, **stóirín**.
taisceadán *1m* a safe.
taisme *4f* accident *U* = **timpiste**.
taispeáin *v* show, *vn* **~t**, **ar ~t**. on display; *condit. aut*. **thaispeánfaí fistéip dóibh** they would be shown a video. *fut*. **taispeánfaidh** will show. *fut. aut*. **taispeánfar** will be shown.
taispeántas *1m* exhibition, *pl* **-ais**.
taisteal *1m* travel, **piollaí taistil** travel pills,

ag t. thart ar Éirinn
travelling around Ireland;
ag t. = **ag dul thart**,
see **gléas**, **modh**.
taithí *4f* experience.
taitin *v* **t. le** enjoy,
taitneamh to shine = **soilsiú**.
imperf. **an dtaitníodh crosfhocail le T?**
did T. used to enjoy crosswords?
pres. **cad chuige a dtaitníonn a s(h)aothar leat?**
why do you like his/her work?
tamall *1m* while = **seal**.
Bainfidh sé t. beag asam socrú isteach san árasán úr. It will take me a little while to settle into my new flat.
tanc *4m* tank, *pl* **~anna**.
taobh *1m* side.
t. amuigh (de) outside = **lasmuigh (de)**, *also* apart from = **seachas**.
fá dtaobh de about U.
t. thiar de behind.
cad ina th.? why = **cad chuige?** = **cén fáth?**
i dt. about = **fá** = **mar gheall ar**.
taobhdhoras *1m* side door
< **taobh** + **doras**.
tapa *adj* fast = **gasta** = **mear**.
tar éis *cpd prp* after = **i ndiaidh**.
tar *v* come = **goitse**, **gabh**,
vn **teacht**
imperf. **thagadh** used to come
pres. subj. **nár thaga laige ar a láimh ná daille ar a radharc**
may his hand not weaken nor his sight never fail.
past aut. **thángthas ar an charr sin** that car was discovered
thángthas ar ór gold was discovered = **fuarthas ór**.
tarla *v* happen, *vn* **tarlú**,
fut. **cad é a tharlóidh do?**
what will happen to? =
cad é a éireoidh do?
tarraing *v* pull, *vn* **~t**,
t. isteach to pull in (car),
past aut. **tarraingíodh** were pulled,
See **aird**.
tarraingteach *adj* attractive = **meallacach**.
tarrtháil *3f* rescue,
t. a thabhairt ar to rescue = **sábháil**.
See **soitheach**.
táthar *pres. aut. of* **bí**,
t. dóchasach one is optimistic.
tchí sees *U* = **feiceann** *Std.*
tchíthear domh *U* =
feictear dom it seems to me.
te *adj* warm, hot;
tá siad ina suí go te
they are well off =
ar mhuin na muice.
teacht to come, see **tar**.
(except after **ag**, this *vn* is aspirated as an infinitive: (**a**) **theacht** *U*).
ag t. isteach ar getting used to =
ag éirí cleachta le.
t(h)eacht ar to find = **aimsiú**, **fáil**.
teachtaireacht *3f* message.
-téadh < **téigh**.
téacs *4m* text.
teagasc, **ag t.** teaching =
ag múineadh.
teaghlach *1m* household, family =
clann one's children
teagmháil *3f* contact,
coinneáil i dt. (le)
to keep in touch (with).
teann *adj* tight.
Prov. **Is teann gach madadh ar a thairseach féin**. A cock can crow on his own dungheap. (Lit. 'Every dog is tenacious on his own threshold').
teann *v* tighten, *vn* **~adh**,
th. sí a leanbh lena brollach she hugged/clasped her child to her breast
= **d'fháisc**.
teannaire *4m* pump (for bicycle).
téarma *4m* term.
téarmaíocht *3f* terminology.
teas *3m* heat,
t. lárnach central heating.
See **fóir**.

teastáil *3f* lack, *vn* **ag t. ó** needing, a-wanting = **de dhíth ar**, **de dhíobháil ar**.
teicneolaíocht *3f* technology.
teidí *4m* teddy bear = **béirín bréige**.
téigh *v* heat, warm, *vn* **téamh**.
téigh go *v*. (also **gabh**), *vn* **dul** (which see), *imperf.* **théadh aici** she used to manage/succeed = **d'éiríodh léi**.
pres. **téim** I go, *imperf./past subj.* **sula dtéadh sí a luí** before she'd go to bed, *pres. subj. aut.* **sula dtéitear** before one goes
teilifís *2f* television.
teip *in phr* **theip air** he failed = **níor éirigh leis**, **sháraigh air**.
teitheadh *2m* retreat, flight = **rith**, *Prov.* **Is fearr t. maith ná drochsheasamh**. Better a good retreat than a bad stand.
teorainn *5f* limit, see **uasteorainn**.
teoranta *adj* limited.
thaga see **tar**.
thall *adv* over, beyond, **sa deireadh thiar th**. at long last. **thángthas** see **tar**.
thar *prp* over, **thar am** high time = **is mithid**. **d'éirigh thar barr leat** you passed with flying colours. **thar a bheith suimiúil** extremely interesting ('beyond being ...'). **thar a chodladh** (he) unable to sleep = **ó chodladh na hoíche**. **thar lear** overseas = **thar sáile**. See **ceann**, **tairseach**.
thart *adv* & *prp*. over, around. **ag dul th. le** passing **ag dul th**. going around = **ag taisteal**.
theacht see **teacht**.
thiar *adv* west, back, see **taobh**, **thall**.
thig le can = **is féidir le**.
thiocfadh le could = **d'fhéadfadh**.
tí, ar tí on the point of, about to + *vn*.
tiarna *4m* lord, **t. talaimh** landlord.
ticéad *1m* ticket, *npl* **ticéid**.
tig comes *U* = **tagann** *Std*. See **ciall**.
timpeall *in phr* **thart t. air** around it *(m)* = **máguaird**; **t. a hocht** around 8 o'clock = **i dtrátha a hocht**.
timpiste *4f* accident = **taisme** *U*.
tintrí *adj* fiery.
tiomáin *v* drive, *vn* **~t**.
tiománaí *4m* driver.
tionchar *1m* influence **bhí t. ag X ar Y** X influenced Y = **chuaigh X i bhfeidhm ar Y**.
tíos *1m* housekeeping, *Prov.* **Ní thagann aithne go haon t**. You never know someone until you have lived with them.
tír *2f* country, land.
Tír Chonaill *pn* Tyrconnel = Donegal, see **Dún na nGall**.
tírdhreach *3m* landscape.
tirim *adj* dry, **airgead t**. cash.
tit *v* fall, *vn* **~im**, **a thit amach** which happened = **a tharla**.
titim *vn* (of **tit**) to fall, **ar fhaitíos gur t. a dhéanfadh sé** in case he might fall.
tnúth *3m* **t. ag le** jealous, envious of = **éad ar le**.
tobac *4m* tobacco.
tobán *1m* tub, **t. folctha** bath tub.
tobann *adj* sudden.
tocht *3m* **bhí t. air** he was emotional, had a lump in his throat.
todhchaí *4f* future, **an t**. the future = **an t-am atá amach romhainn** = **an t-am atá le t(h)eacht**.

todóg *2f* cigar.

tóg *v* **~áil** *vn,* lift, rear, build
past aut. **tógadh mé** I was reared.
fut. **tógfaidh mé teach** I'll build a house.
tógfaidh mise iad
I'll collect them (children).
bean de thógáil na Spáinne
a Spanish lady.
See **féad**, **suíomh**.

tógálaí *4m* builder.

togh *v* chose, elect, *vn* **~adh**,
past aut. **toghadh mise**
I was elected.

toghchán *1m* election.

tógtha *adj* excited, edgy, = **neirbhíseach**.

toil *3f* will,
le do th. please = **más é do th. é**;
in éadan a thola against his will.

toirt *2f* shape, mass,
ar an t. right away =
lom láithreach = **láithreach bonn**.

toisc because = **mar**, **de bhrí**, **ar an ábhar, as siocair.**

toiseacht *vn* starting *U* = **tosnú**.

tola see **toil**.

tolg *1m* sofa.

tomhas *vn* to guess, estimate.

tomhsaire *4m* **t. an pheitril**
the petrol gauge.

tonn *2f* wave, *pl* **~ta**,
faoi th. underwater.

tormán *1m* noise = **callán**, **trup**.

torthaí results, *pl* of **toradh** *1m.*

tosach *1m*, front
trí chúl chun tosaigh
three goals ahead,
chuir Peadar an scéal chun tosaigh ar a bhean.
P. raised the matter with his wife,
an doras tosaigh the front door,
chuir sé a ainm chun tosaigh
he put his name forward.

tosaigh *v* begin.

trácht *3m* mention = **iomrá**,
gan t. (ar) without mentioning.

trácht *3m* traffic,
brú ~a traffic jam.

tráthnóna *4m* afternoon, see **ard~**.

traenáil *3f* training.

traidisiúnta *adj* traditional.

traochta *adj* exhausted =
iontach tuirseach, **cloíte**.

tráth *3m in phr* **i dtrátha** around =
timpeall, **thart fá**.

tréan *1m* plenty = **neart**, **cuid mhór**, **mórán, a lán**.

tréig *v* abandon, *vn* **~bheáil** *V*,
past aut. **~eadh**.

tréitheach *adj* accomplished,
fabulous = **sármhaith**.

treo *in cpd prp* **i dt.** towards *(+ gen)*,
inár dt. toward us = **chugainn**.

triail *5f* attempt, **bhaineadh sí t. (as)** she used to try.

tríocha thirty.

triomaigh *v* dry, *vn* **triomú**.

tríú third, see **domhan**.

trófaí *4m* trophy = **corn**.

troscán *1m* furniture.

trua *4f* pity.

trup *4m* tramp, noise din =
callán, **tranglam**.

tuáille *4m* towel.

tuairisc *2f* report.

tuairisceoir *3m* reporter, *pl* **~í**.

tuaisceart *1m* north.

tuarascáil *3f* report.

tuarastal *1m* salary = **pá**.

tuath *2f* countryside,
saol na tuaithe the life of the c.

tugadh was given, brought
< **tabhair**, see **droim**.

tugtha *adj* **t. do** 'given to', fond of =
doirte do.

tuig *v* understand, *vn* **~bheáil** *U* =
tuiscint *Std.*
past aut. **tuigeadh do na comharsanaigh / comharsana**.
the neighbours presumed.

tuigseanach *adj.* understanding *U* =
tuisceanach *Std.*

tuilleadh *1m* more = **níos mó**,

t. eolais more information,
níl feidhm a th. le carr agam
I have no more need for a car.
tuillte *adj* earned, deserved.
tuirseach *adj* tired,
see **buailte amach**, **marbh**,
traochta, sáraithe.
tuiscint *vn* to understand =
tuigbheáil *U*, see **tuig**.
tuismitheoir *3m* parent, *pl*. **~í**.
turas *1m* journey, trip,
t. lae a day trip.
na turais teaghlaigh
the family trips.
turasóir *3m* traveller, tourist, *pl* **~í**.
tús *1m* start, beginning, see **báire**.
i dt. ama initially = **ag an tús** =
den chéad uair.
chuir mé t. le I began =
thosaigh mé.
Prov. **Tús maith leath na hoibre**.
A good start is half the battle =
Dhá dtrian cuidithe tús maith
(*lit*. 'Two thirds of help is a good
start').

uachtar *1m* upper portion,
gs **seilf uachtair** upper shelf.
uachtarán *1m* president.
uaigneach *adj* lonely.
uaim, **uaithi** from me, her < **ó**.
uair *2f* time, hour, **cá huair?** when?
= **cén uair = cathain?**
na huaireanta the hours.
uaireanta *adv* sometimes =
in amanna = **ar uairibh** = **scaití**.
den chéad u. *adv* initially,
see **chéaduair** = **ar tús** or **ar dtús**.
uaireadóir *3m* watch, **~í**.
uasal *adj* noble,
a bhean u. madame,
a dhuine uasail sir.
uasal *1m* **an tU**. **Wilson** Mr Wilson.
uasteorainn *5f* upper limit,
see **teorainn**.
ubh *2f* egg, *pl* **uibheacha**.
ucht *1m* chest = **brollach**,
in cpd prp **as u**. (+ *gen*.) = **ar son**:
as u. do chineáltais
for your kindness.
uchtach *1m* courage = **misneach**,
crógacht; see **beag~**.
úd *adv* that, yonder = **sin**.
údar *1m* author = **scríbhneoir**.
uibh egg *U* see **ubh**.
uile all, **go hu. is go hiomlán**
totally and entirely.
uilig all = **uile**, **go léir**.
úinéir *3m* proprietor, owner.
ullmhaithe *adj* prepared.
ullmhú *vn* to prepare =
déanamh réidh.
ullmhúchán *1m* preparation.
ulpóg *2f* heavy cold =
slaghdán trom.
uncail *4m* uncle.
úr *adj* fresh, new = **nua**.
úrnua *adj* brand-new.
urraim *2f* esteem, respect =
gradam, **meas**.
úrscéal *1m* novel.
úsáid *2f* usage = **feidhm**,
in ú. in use,
ú. a bhaint as to use.

víosa *4m* vis

Foilseacháin eile ó: *Other Publications by Clólann Bheann Mhadagáin:*

Le Theacht: Forthcoming

Leabhar Laghdaithe Bhriathra na Gaeilge:
The Abridged Irish Verb Book
A.J. Hughes   Leabhar A5 c. 480 pp 2008/9

The Big Drum
English translation of Seosamh Mac Grianna novel *An Druma Mór.*
Translation and essay by A.J. Hughes   Book 2008/9

Seachtó Sliocht Gaeilge: *70 Irish Passages*
A.J. Hughes Book + Cds 2008/9

Orduithe ó   *Clólann Bheann Mhadagáin*
516 Bóthar Aontroma,
Béal Feirste, BT15 5GG,
Tuaisceart Éireann

Orders from: *Ben Madigan Press,*
516 Antrim Road,
Belfast, BT15 5GG,
N. Ireland

Tabhair cuairt ar an tsuíomh idirlín

Visit our website

www.benmadiganpress.com

Ríomhphost/E-mail: bmp@benmadiganpress.com

Lacáiste ar fáil do scoileanna

Visit our website at:

www.benmadiganpress.com

You will find:

- English-language summaries of the texts in *Trialacha Tuigbheála*
- Details of forthcoming publications for Irish learners from Ben Madigan Press.

You can order direct from us:

E-mail
bmp@benmadiganpress.com

Alternatively write to:

Orders
Ben Madigan Press
516 Antrim Road
Belfast
BT15 5GG

Tabhair cuairt ar an tsuíomh idirlín atá againn

www.benmadiganpress.com

Gheobhfar:

- Achoimrí Béarla ar na téacsanna in *Trialacha Tuigbheála*
- Eolas faoi fhoilseacháin atá beartaithe ag Clólann Bheann Mhadagáin d'fhoghlaimeoirí atá ag tabhairt faoin Ghaeilge.

Thig leat ordú díreach a chur chugainn:

Ríomhphost
bmp@benmadiganpress.com

Lena chois sin, thig scríobh chuig:

Orduithe
Clólann Bheann Mhadagáin
516 Bóthar Aontroma
Béal Feirste
BT15 5GG